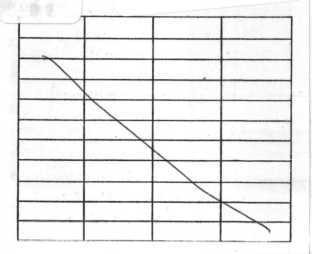

« SI COMME TIBERT FUT BATTU POUR L'OISON QUE RENART MANGEA »

Renart le Nouvel (B. N. ms. franç., 1581, XIIIe siècle).

CLASSIQUES LAROUSSE

Fondés par
FÉLIX GUIRAND
Agrégé des Lettres

Dirigés par
LÉON LEJEALLE
Agrégé des Lettres

LE ROMAN DE RENART

extraits

avec une Notice biographique, une Notice historique
et littéraire, des Notes explicatives, des Jugements,
un Questionnaire et des Sujets de devoirs,

par

JEAN FRAPPIER

Docteur ès Lettres

et

MARC BOYON

Professeur agrégé au Lycée Buffon

LIBRAIRIE LAROUSSE • PARIS VI

17, rue du Montparnasse, et boulevard Raspail, 114
Succursale : 58, rue des Écoles (Sorbonne)

CHRONOLOGIE DU ROMAN DE RENART

	LES ŒUVRES	LE MOUVEMENT INTELLECTUEL ET ARTISTIQUE	LES ÉVÉNEMENTS POLITIQUES
Vers 1152	Ysengrimus, par le Flamand Nivard.	Chanson de Raoul de Cambrai. *Roman de Thèbes, Roman d'Eneas.* Benoît de Sainte-More : *Roman de Troie.* Début de l'œuvre de Bernard de Ventadour. Naissance de Jean Bodel et de Conon de Béthune (v. 1150).	Louis VII, roi de France depuis 1137. Aliénor d'Aquitaine, répudiée par lui en 1149, épouse Henri Plantagenêt (1152). Frédéric Barberousse empereur (1152).
1174-1177	Branches II et V^a du *Roman de Renart*, composées par Pierre de Saint-Cloud.	*Vie de saint Thomas Becket*, par Guernes de Pont-Sainte-Maxence. *Lais* de Marie de France (v. 1175). *Tristan* de Thomas (v. 1175). *Yvain ou le Chevalier au lion* de Chrétien de Troyes (1177). — Construction du chœur de la cathédrale de Canterbury.	Après la lutte entre Louis VII et Henri Plantagenêt, devenu roi d'Angleterre, paix de Nonancourt (1177). Expéditions de Frédéric Barberousse en Italie du Nord : il est battu à Legnano (1176).
Vers 1178	Branches III, IV, XIV.	*Livre des Manières* d'Étienne de Fougères.	Saladin attaque le royaume latin de Jérusalem (1178).
Vers 1179	Branche I.		Concile du Latran : réorganisation de l'élection pontificale (1179). Rupture entre Frédéric Barberousse et Henri le Lion, duc de Saxe et de Bavière.
1180-1190	Branches X, VI, VIII, XII.	*Isopet* (fables) de Marie de France (v. 1180). *Roman d'Alexandre* de Lambert le Tort (v. 1180). Chrétien de Troyes dédie *Perceval* au comte de Flandre Philippe d'Alsace (v. 1182). *Tristan* de Béroul. Premières chansons de croisade par le châtelain de Coucy, Conon de Béthune, Blondel de Nesle. *Le Jeu d'Adam*, drame semi-liturgique.	Mort de Louis VII (1180). Philippe Auguste lui succède, attaque Henri II (1186), et commence à reprendre les pays français occupés par les Anglais. Saladin prend Jérusalem (1187) : Grégoire VII prêche la IIIe Croisade. Départ de Philippe Auguste pour la croisade (1190); il délègue son pouvoir dans les villes au prévôt et aux bourgeois (communes).
1195-1200	Branches VII, XI, IX.	*Vers de la mort* d'Hélinand (v. 1194). *Jeu d'Adam. Jeu de Saint-Nicolas* de Jean Bodel (v. 1200). — Reconstruction de la cathédrale de Chartres (1194); construction de la cathédrale de Bourges (v. 1200).	Guerre de Philippe Auguste contre Richard Cœur de Lion (1194-1199). Mort de Richard (1199). Persécution contre les cathares de Provence (1199).

1200-1205	Branches XVI, XVII.	Reinhart Fuchs, de Heinrich der Glichesaere. Congé de Jean Bodel, 1201. — Construction de la halle aux Draps d'Ypres.	Lutte de Philippe Auguste contre le nouveau roi d'Angleterre, Jean sans Terre; conquête de la Normandie et du Poitou. IVe Croisade; prise de Constantinople par les Croisés (1204); fondation de l'Empire latin d'Orient.
1205-1250	Dernières branches (XIII et XVIII à XXVII).	Reinaert de Vos, par le Flamand Wilhelm (v. 1250). Bertran de Bar-sur-Aube : Girart de Vienne et Aimeri de Narbonne. Continuations du Conte du Graal (1230-1235). Le Lancelot en prose (1215-1235). Le Tristan en prose (v. 1230). Chantefable d'Aucassin et Nicolette, Roman de la Rose de G. de Lorris (1225-1240). Chansons de Thibaut de Champagne, de Gace Brulé. — Construction des Portails et des tours de Notre-Dame de Paris	Bataille de Bouvines (1214). Mort de Philippe Auguste (1223). Règne de Louis VIII (1223-1226) : conquête du Poitou (1225); croisade du roi contre le Languedoc (1226), pour mettre fin à la résistance des albigeois. Avènement de Louis IX (1226) : victoire de Taillebourg (1242) sur les Anglais; départ du roi pour la VIIe Croisade (1248). Constitution du parlement de Paris (1250). En Angleterre, la Grande Charte (1215).
1261-1270	Renart le Bestourné, par Rutebeuf.	Chansons d'Adam le Bossu, et de Colin Muset. Saint Thomas d'Aquin commence ses Commentaires sur Aristote. Rutebeuf : Miracle de Théophile. Naissance de Dante (1265). — Construction de la mer de Strasbourg.	Conquête d'une grande partie de l'Italie du Sud par Charles d'Anjou, frère de Louis IX (à partir de 1263). VIIIe Croisade : mort de Louis IX devant Tunis (1270).
1288	Renart le Nouvel, par le Lillois Jacquemart Gelée.	Dante : la Vita nuova. — Construction de la cathédrale de Florence.	Règne de Philippe le Bel (depuis 1285). Traité de Paris entre la France et l'Angleterre (1286). Accord de la France et de l'Aragon sur la Sicile (1287).
1295	Le Couronnement de Renart.		Philippe le Bel saisit la Guyenne et s'allie aux Écossais contre Édouard Ier d'Angleterre (1295); il limite les droits de l'Inquisition (1295) et interdit l'exportation des espèces (1296).
1319-1328	Renart le Contrefait par l'" épicier de Troyes".	Premières œuvres de Guillaume de Machaut. Jean Buridan recteur de l'Université de Paris (1327). Mort de Dante (1321). Pétrarque commence son Canzoniere (1327).	Règne de Philippe V le Long (1317-1322), de Charles IV le Bel (1322-1328), auquel succède Philippe VI. Tension diplomatique qui annonce la guerre de « Cent Ars ».

LES PRINCIPAUX ANIMAUX
DU « ROMAN DE RENART »

Le Goupil : RENART. — Sa femme : HERMELINE (ERME ou ERMENGART dans les dernières branches). — Ses fils : PERCEHAIE, MALEBRANCHE, ROVEL.

L'Ane : BERNARD l'archiprêtre.
Le Blaireau : GRIMBERT et son cousin PONCET.
Le Cerf : BRICHEMER.
Le Chameau : MUSART.
Le Chat : TIBERT.
Le Cheval de charge (le Roncin) : sire FERRANT.
Le Coq : CHANTECLER, fils de CHANTECLIN.
Le Corbeau : TIÉCELIN (dans les dernières branches, ROHART).
La Corneille : BRUNE.
L'Écureuil : ROUSSEAU (ou ROUSSELET, ROUX).
La Fourmi : FRÉMOND.
Le Grillon : FROBERT.
Le Hérisson : ÉPINARD.
L'Hermine : BLANCHE.
La Jument : RAISANT.
Le Lièvre : COUART (dans certaines branches, GALOPIN).
Le Limaçon : TARDIF.

Le Lion : NOBLE.
La Lionne : dame FIÈRE.
Les Loups : YSENGRIN et son frère PRIMAUT.
La Louve : dame HERSENT.
Le Lynx : dame ONCE.
La Marmotte : dame MORE.
Le Mâtin : ROËNEL.
Le Milan : HUBERT.
Le Moineau : DROÏN.
Le Mouton : BELIN.
L'Ours : BRUN (dans les dernières branches, PATOUS).
Le Paon : PETITPAS.
Les Poules : PINTE et sa sœur dame COPÉE.
Le Putois : FOINET.
Le Rat : dom PELÉ.
Le Sanglier : BAUCENT.
Le Singe : COINTEREAU.
La Souris : CHAUVE.
La Taupe : COURTE.
Le Taureau : BRUYANT.

LE ROMAN DE RENART
(vers 1175-vers 1330)

NOTICE

Ce qui se passait à l'époque du « Roman de Renart ». — Voir le tableau chronologique des pages 4 et 5.

Le Roman de Renart. — *Le Roman de Renart*, sorte d'épopée animale, comme on l'a souvent appelé, ou plutôt parodie des chansons de geste qui exaltent la société chevaleresque, ne se présente nullement sous l'aspect d'une composition suivie et cohérente; c'est une collection de petits poèmes indépendants, appelés « branches » au Moyen Age, qui se sont agrégés autour d'un thème central, la lutte du goupil[1] et du loup. Les plus anciennes « branches » — une quinzaine — semblent avoir été écrites de 1170 à 1205 environ, et réunies en recueil au début du XIIIe siècle; les autres, au nombre d'une dizaine, et de qualité inférieure, datent approximativement des cinquante années qui suivirent.

Les origines. Il existe une liaison naturelle entre le parcours entre le *Roman de Renart* et les récits d'animaux, issues dans des conditions assez obscures de la fable classique ou de l'apologue oriental, et rassemblées, sans doute à l'usage des écoles, dans des recueils que le Moyen Age a baptisés *isopets*[2], du nom d'Ésope; mais le cycle de Renart contient aussi, à côté des fables ésopiques, des contes qu'on retrouve dans les traditions populaires, dans le folklore des nations les plus diverses. Origine littéraire ou origine folklorique? cette question a longtemps partagé les critiques. Tout d'abord on a plutôt considéré les sources du *Roman de Renart* comme des sources orales et les auteurs des « branches » comme d'assez pauvres habilleurs de contes qui se seraient en somme contentés de transcrire une production spontanée et collective : en rejetant et en élargissant à la fois la vieille conception de Jacob Grimm (1785-1863), dont la chimère consistait à voir l'origine de l'épopée animale dans les forêts germaniques, avant l'époque des

---

1. Renart est, dans le roman, le nom propre du *goupil ;* en raison de l'immense popularité de l'œuvre, le nom propre est devenu nom commun en évinçant l'ancien mot qui servait à désigner l'animal; **2.** Le plus célèbre de ces recueils est celui de Marie de France, l'auteur des *Lais*.

invasions, Léopold Sudre a soutenu, dans sa thèse sur les *Sources du Roman de Renart* (1893), à la suite de recherches étendues et ingénieuses, que les récits du *Roman de Renart* ont pour base principale des contes d'animaux de provenances très variées qui circulaient dans le peuple, il y a un millier d'années, et non des fables proprement dites, d'origine gréco-orientale : « *Le Roman de Renart* sort de la foule et non des livres. » Pour expliquer les épisodes des diverses « branches », Léopold Sudre n'a pas hésité à recourir aux variantes folkloriques les plus inattendues parfois de ces contes primitifs, variantes basques, russes, finlandaises, voire hottentotes. Si le résultat de ces recherches a été presque entièrement accepté par Gaston Paris, il a été contesté avec des arguments très convaincants par Lucien Foulet (*le Roman de Renart*, 1914) : celui-ci s'élève justement contre la tendance de ses prédécesseurs qui n'ont pas assez tenu compte de la création individuelle des auteurs, qui s'occupent « trop des contes que nous n'avons pas, trop peu des contes que nous avons », et il démontre que *le Roman de Renart* est une œuvre consciente, savante, issue des livres et non de la foule. Ses origines authentiques apparaissent en effet dans la littérature latine du Moyen Age : dès le xe siècle, le poème de l'*Ecbasis Captivi* (*l'Evasion d'un captif*), composé, semble-t-il, par un religieux du monastère de Saint-Epvre, à Toul, raconte le conflit du goupil et du loup (celui-ci est écorché sur les conseils de son ennemi, pour la guérison du lion); un autre poème de la fin du xie siècle, le *De lupo*, nous montre le loup pèlerin et moine; enfin, dans l'immense poème de l'*Ysengrimus*, écrit vers 1152, par le Flamand Nivard, œuvre touffue, mais riche de presque tous les thèmes et épisodes de l'épopée animale, chaque personnage est caractérisé, s'élève jusqu'au type, en même temps qu'il est pourvu d'une appellation personnelle : *Reinardus* le goupil, *Ysengrimus* le loup, *Carcophas* l'âne, *Bertiliana* la chèvre. Les antécédents littéraires du *Roman de Renart* sont donc bien assurés et sa filiation directe avec la littérature latine du Moyen Age est indéniable; mais cette constatation n'élimine pas entièrement l'hypothèse d'une transmission des contes d'animaux par tradition orale et peut-être amène-t-elle à déplacer le problème des origines plutôt qu'à le croire vraiment résolu, car les poèmes latins eux-mêmes ne sont pas nécessairement coupés des récits populaires.

Chronologie du «Roman de Renart». Les différentes «branches»; les auteurs. — Dans les manuscrits, les différentes « branches » se suivent au hasard, sans aucun ordre logique ni chronologique : c'est ainsi que dans le manuscrit français 20 043 de la Bibliothèque nationale, dont l'ordre est reproduit dans l'édition Ernest Martin du *Roman de Renart*, la branche qui porte le numéro I ne saurait passer pour la plus ancienne. Cependant, Lucien Foulet a réussi à établir la chronologie approximative des divers contes de Renart, et parmi les vingt-sept branches qui figurent dans l'édition Martin, voici les dates qu'on peut attribuer aux plus anciennes :

Branches II, Vᵃ, composées entre 1174 et 1177. (Elles sont bientôt complétées par les branches V et XV.)

Branches III, IV, XIV, composées vers 1178.

Branche I, composée vers 1179. Elle est complétée par les branches Iᵃ et Iᵇ.

Branche X, composée entre 1180 et 1190; branches VI, VIII, XII, vers 1190.

Branches VII, XI, composées entre 1195 et 1200; branche IX, vers 1200.

Branche XVI, vers 1202; branche XVII, vers 1205.

La plupart des « branches » sont anonymes : cependant, la branche II est l'œuvre de Pierre de Saint-Cloud[1], à qui l'on doit aussi un *Roman d'Alexandre*, la branche IX a pour auteur le prêtre de la Croix-en-Brie, et la branche XII, Richard de Lison.

Les plus anciennes branches. — Les plus anciennes branches (II, Vᵃ, III, IV, XIV, I, X, VI) datent donc du dernier quart du XIIᵉ siècle, et même semblent avoir été composées avant 1190. Pierre de Saint-Cloud, auteur de la branche II et de sa suite la branche Vᵃ, a été le premier à « trouver de Renart », et il a raconté en octosyllabes alertes plusieurs aventures où Renart est tantôt dupé, tantôt dupeur triomphant; l'auteur inconnu de la branche I, reprenant le récit brusquement interrompu de Pierre de Saint-Cloud, a exploité une plaisante matière dans le procès de Renart, coupable d'avoir gravement offensé Hersent la louve et son mari Ysengrin. Les autres « branches », de valeur assez inégale, peuvent être considérées comme de simples appendices de la branche II. Ce qui fait le prix de ces plus anciens poèmes du *Roman de Renart*, c'est l'esprit de parodie, parodie des chansons de geste et des romans courtois, c'est la satire légère et malicieuse, assez hardie parfois, de la société féodale, des coutumes judiciaires, de la religion elle-même, c'est aussi le sens de l'observation et l'art de créer des types, des caractères généraux, c'est enfin et surtout la franche gaieté, l'entrain dans l'invention d'épisodes héroï-comiques.

Les branches postérieures. — Les « branches » du *Roman de Renart* se multiplient à la fin du XIIᵉ siècle et dans les premières années du XIIIᵉ siècle : certaines utilisent des thèmes déjà exploités et ne sont que d'assez fades imitations des premières branches, mais d'autres ne manquent pas de saveur, comme la branche VII (*Renart mange son confesseur*), la branche VIII (*le Pèlerinage de*

---

1. C'est apparemment par erreur que la branche XVI a été attribuée à Pierre de Saint-Cloud.

Renart). La branche XVII, qui rassemble tous les personnages de l'épopée animale pour les funérailles de Renart, semble apporter une conclusion définitive au récit de ses aventures. Mais le rusé personnage ressuscite au moment même où on le mettait en terre.

Dernières branches. — Cependant, malgré toute sa souplesse et la multiplicité de ses aspects, Renart n'est plus guère capable d'animer les dernières branches de son roman, écrites entre 1205 et 1250; la veine est désormais un peu tarie, et les successeurs attardés de Pierre de Saint-Cloud sont trop souvent dépourvus de verve et de naturel. Certaines branches (comme les branches XVIII à XXI) ne comportent même plus la présence de Renart. Dans cette première moitié du XIIIᵉ siècle, le caractère du goupil se transforme et prend une valeur symbolique : il personnifie le mal et l'hypocrisie, et cette métamorphose correspond à une tendance générale de l'époque, éprise de gravité didactique et volontiers soucieuse de moraliser.

Les imitations étrangères. — La renommée du *Roman de Renart* s'est répandue très vite à l'étranger, et, vers la fin du XIIᵉ siècle ou au début du XIIIᵉ siècle, l'Alsacien Heinrich der Glichesaere (Henri le Sournois) compose son *Reinhart Fuchs*, où il s'inspire de plusieurs branches françaises. Plus tard, vers 1250, le Flamand Wilhelm traduit la première branche sous le titre de *Reinaert de Vos*, et cette version néerlandaise, complétée par des imitations d'autres branches, est, à travers maintes adaptations, la source lointaine du *Reineke Fuchs* de Gœthe.

Les transformations du « Roman de Renart ». — Dans la seconde moitié du XIIIᵉ siècle, Renart devient le héros de poèmes copieux, fort éloignés des anciennes branches par l'esprit comme par les dimensions : la satire, l'allégorie, l'étalage encyclopédique des notions les plus diverses remplacent la raillerie légère et la parodie humoristique. Dans son poème de *Renart le Bestourné* (le mal tourné), écrit en 1261 et 1270, Rutebeuf vise dans la personne de Renart les ordres mendiants et l'hypocrisie religieuse. On retrouve les mêmes attaques et les mêmes intentions morales dans *Renart le Nouvel*, composé en 1288 par le Lillois Jacquemart Gelée. La satire du mensonge et de l'hypocrisie, de la *renardie*, est encore plus violente dans le *Couronnement de Renart* (1295), œuvre d'un autre Flamand, anonyme celui-là; l'auteur, qui ne manque ni de verve ni de vigueur, dénonce le triomphe de la ruse et la toute-puissance de l'argent. Enfin, Renart connaît dans le premier quart du XIVᵉ siècle une dernière et étonnante métamorphose : il sert de masque et de porte-parole à un clerc de Troyes, dégradé de la cléricature à la suite d'un mariage scandaleux et enrichi par la suite dans le commerce des épices. Cet « épicier de

Troyes », une fois retiré des affaires, vers la quarantaine, en 1319, entreprit « de *se contrefaire*, c'est-à-dire de se masquer, en Renart pour découvrir, sous le nom de ce personnage traditionnel, le fond de sa pensée sur les choses de la vie[1] ». Après 1328, l' « épicier » remanie son poème et en rédige une seconde version encore plus longue que la précédente : en tout, plus de 60 000 vers, résultat du labeur assidu d'une vingtaine d'années! Malgré son tour pédantesque et sa déplorable prolixité, cette œuvre curieuse reste vivante grâce à la personnalité tumultueuse de l'auteur, et Renart, toujours symbole de l'hypocrisie, mais gardant jusqu'au bout une souplesse de mime, s'emporte dans une ultime transfiguration contre les mœurs corrompues du siècle et prend le parti du bien contre le mal.

Nota. — Nous suivons dans le présent ouvrage le texte de l'édition Ernest Martin.

1. Ch. V. Langlois. On interprète parfois, mais à tort, semble-t-il, ce titre de *Renart le Contrefait* par « la contrefaçon de l'ancien Renart ».

———————

BIBLIOGRAPHIE SOMMAIRE

A) ÉDITIONS :

Le Roman de Renart, publié par Méon, 4 vol., Paris, 1826; au tome IV figurent le *Couronnement de Renart* (p. 1-123), et *Renart le Nouvel* (p. 125-461).

Le Roman de Renart, publié par Ernest Martin, 3 vol., Strasbourg et Paris, 1881-1887.

Renart le Contrefait, édité par G. Raynaud et H. Lemaître, 2 vol. (Paris, Champion, 1914; réédition en 1955).

Le Couronnement de Renart, édité par Alfred Foulet, Princeton et Paris, 1929.

Le Roman de Renart, édité par Mario Roques (Classiques français du moyen âge) : *Première Branche*, 1948; *Branches II-VI*, 1951; *Branches VII-IX*, 1949-1950; *Branches X-XI*, 1958; *Branches XII-XVII*, 1960.

B) ADAPTATION EN FRANÇAIS MODERNE :

Léopold CHAUVEAU, *le Roman de Renard* (Paris, V. Attinger, 1928).

Le Roman de Renart, adaptation de Paulin Paris, revue par J. de Foucaut (Paris, Bordas, 1949).

C) ÉTUDES :

Ernest MARTIN, *Observations sur le Roman de Renart* (Paris, 1887).

Léopold SUDRE, *les Sources du Roman de Renart* (Paris, Bouillon, 1893).

Gaston PARIS, *Mélanges de littérature française du moyen âge* (Paris, Champion, 1910 [p. 337-423]).

Lucien FOULET, *le Roman de Renart* (Paris, Champion, 1914).

Ginnar TILANDER, *Remarques sur le « Roman de Renart »* (Göteborg, 1923); *Lexique du « Roman de Renart »* (Göteborg, 1924).

Ch. V. LANGLOIS, *la Vie en France au moyen âge*, tome II (Paris, Hachette, 1926).

Charles GUERLIN DE GUER, *le Roman de Renart*, dans la *Revue des Cours et Conférences*, 1929 (15-30 juin).

LES PLUS ANCIENNES BRANCHES

BRANCHE II
(1 396 vers)

RENART ET CHANTECLER

TRADUCTION (vers 23-124) :

Il arriva que Renart, si amateur de méchants tours et toujours expert en fait de ruse, s'en vint à une ferme. Elle était située dans un bois et contenait à foison poules et coqs, canes et malarts[1], jars et oies. Messire Constant des Noes, un riche vilain, demeurait tout près de l'enclos. La maison était bien pourvue; de poules et de chapons il avait bien garni son hôtel. Il y avait là de tout : viande salée, jambons et tranches de lard. Le vilain ne manquait pas de blé, il était fort bien installé, car son verger abondait en cerises, pommes et fruits de toute sorte. C'est là que va Renart pour son plaisir. Le courtil était bien clos de pieux de chêne pointus et gros, entouré encore d'une haie d'aubépine; c'est là que maître Constant avait mis ses poules en un lieu fortifié. Et Renart se dirige de ce côté tout doucement, l'échine basse; tout droit il s'en vint vers l'enclos. Renart était grand chasseur, mais les épines de la haie sont si fortes qu'il ne peut réussir ni à passer ni à sauter : pourtant il ne veut pas manquer les poules. Il s'est accroupi sur le chemin, il se trémousse fort, et tourne sans cesse le cou. Il se dit que, s'il saute, pour peu qu'il tombe de haut, on le verra, et les poules se cacheront sous les épines. Il pourrait être vite surpris, avant d'avoir attrapé grand'chose. Il était très inquiet; il veut s'emparer des poules qu'il voit picorer devant lui. Et Renart ne fait que se baisser et se redresser. Au tournant de la palissade il aperçut un pieu démoli : il passa à l'intérieur. En face de la brèche, le vilain avait planté des choux : Renart s'y laisse tomber en boule, pour qu'on ne le voie pas. Mais les poules s'agitent, qui l'ont aperçu au moment où il tombait. Chacune se hâte de fuir.

1. *Malarts* : canards mâles.

Messire Chantecler le coq, dans une sente près du bois, était allé à l'écart sur un tas de fumier, en passant entre deux pieux par le trou de la rigole. Fièrement, il vient au-devant des poules, emplumé jusqu'aux pattes et le cou tendu. Il leur demande pourquoi elles s'enfuient vers la maison. Pinte parla, de toutes la plus sage, celle qui pondait les gros œufs et juchait à la droite du coq : « Nous avons eu peur, dit-elle. — Pourquoi ? Qu'avez-vous vu ? — Je ne sais quelle bête sauvage, capable de nous faire bientôt du mal, si nous ne quittons pas cet enclos. — Ce n'est rien, je vous le garantis, dit le coq; n'ayez pas peur, mais restez tranquillement ici. — Par ma foi, dit Pinte, je l'ai vue. Je vous le jure, je l'ai vue parfaitement. — Et comment cela ? — Comment ? J'ai vu remuer la haie et trembler le chou derrière lequel elle est cachée. — Pinte, fait-il, voilà qui suffit. Vous n'avez rien à craindre : par la foi que je vous dois, je ne connais putois ni renard assez hardi pour entrer dans le courtil. C'est une plaisanterie : revenez sur vos pas. »

Il retourne à son tas de fumier, il se conduit en personne sûre d'elle-même; il ne sait guère ce qui lui pend à l'œil. Le fou! Un œil ouvert et l'autre clos, une patte repliée et l'autre droite, il s'est juché sur un toit.

ANALYSE (vers 125-275) :

Chantecler ne tarde pas à sommeiller. Il a un songe : il rêve qu'une bête le force à endosser une fourrure rousse dont la bordure est en os et le collet très étroit. Il s'éveille tout effrayé, invoque le Saint-Esprit et va retrouver les poules sous les épines. Il consulte Pinte sur ce songe étrange : elle lui explique qu'il est certainement en danger d'être mangé par le goupil. Elle lui conseille de se mettre à l'abri, car l'ennemi est caché tout près. Mais Chantecler ne prend pas son avertissement au sérieux.

TRADUCTION (vers 276 et suivants) :

Aussitôt il s'en est retourné se rôtir au soleil sur le tas de fumier. Il se remet à sommeiller. Et quand Renart, l'adroit et rusé Renart, voit notre coq assoupi, il ne tarde pas à s'approcher à pas menus, tout doucement, la tête baissée. Si Chantecler attend qu'il le tienne entre ses dents, il s'en repentira. Et soudain il voulut happer le dormeur; mais Renart, qui fut trop ardent, manqua son coup. Chantecler saute de côté. Il a reconnu Renart, et il établit sa défense sur le fumier. Quand Renart voit qu'il a manqué son coup, il se tient pour malchanceux. Il commence à se demander comment il pourrait bien attraper Chantecler; s'il n'arrive pas à le manger, il a perdu son temps : « Chantecler, lui dit Renart, ne t'enfuis pas, n'aie pas peur. Je suis enchanté de te voir en bonne santé, car tu es mon cousin germain. » Chantecler alors se rassura, et de joie chanta un air. Et Renart dit à son cousin : « Ne te souvient-il plus de Chanteclin, ton bon père qui t'engendra? Jamais coq ne chanta comme lui. On l'entendait d'une grande lieue; oui, il chantait bien, à voix bien haute, et il avait un souffle d'une longueur. Les deux yeux fermés, qu'il avait une voix forte! On accourait d'une lieue, quand il chantait son refrain. » Chantecler dit : « Cousin Renart, voulez-vous me jouer un tour? — Ma foi non! dit Renart. Mais chantez donc, clignez l'œil! Nous sommes d'une même chair et d'un même sang : j'aimerais mieux perdre une patte que de te voir arriver malheur, car tu es mon très proche parent. » Chantecler dit : « Je ne te crois guère. Écarte-toi un peu de moi, et je te chanterai un air; il n'y aura pas de voisin dans les environs qui n'entende bien mon fausset. » Alors notre Renardet[1] se met à sourire : « Allons, à voix haute! chantez, cousin! Je saurai bien si Chanteclin mon oncle était vraiment votre père. » Chantecler lança un cri, il avait un œil fermé, et l'autre ouvert, car il craignait beaucoup Renart. Souvent il regarde de son côté. Renart lui dit : « Cela ne vaut rien! Chanteclin chantait autrement, à long trait, les yeux clignés. On l'entendait bien dans vingt enclos. » Chantecler croit qu'il dit vrai, et il laisse aller sa mélodie, les yeux clignés, de toutes ses forces. Alors Renart ne veut plus patienter, il s'élance de dessous un chou rouge et prend le chanteur par le cou. Il s'enfuit, tout joyeux de n'être pas bredouille.

Pinte voit que Renart emporte le coq; dolente, découragée, elle commence à se lamenter : « Sire, je vous l'ai bien dit, et vous vous moquiez toujours de moi, et vous me teniez pour folle. Mais maintenant elle est vraie, la parole dont je vous avais averti. Votre bon sens vous a déçu! J'étais folle, quand je vous ai renseigné, et le fou est celui qui ne craint rien avant d'être attrapé. Renart vous tient, il vous emporte. Malheureuse que je suis, me voilà morte!

1. *Renardet* : diminutif de Renart.

Si je perds ici mon seigneur, pour toujours j'ai perdu mon honneur. » La bonne femme de la métairie a ouvert la porte de son courtil. Car c'était le soir, et elle voulait rentrer ses poules ; elle appela Pinte, Bise et Roussette : aucune ne retourne au logis. Étonnée de ne pas les voir revenir, elle se demande ce qu'elles font. Elle appelle de nouveau son coq, à en perdre le souffle ; elle voit Renart qui l'emporte. Alors elle s'élance pour le secourir, et le goupil commence à courir. Quand elle voit qu'elle ne pourra l'attraper, elle se décide à crier : « Haro ! » à plein gosier. Les vilains, en entendant les cris de la femme, se sont précipités de son côté, et lui demandent ce qu'elle a. « Hélas ! soupira-t-elle, quel malheur est le mien ! — Comment ? font-ils. — C'est que j'ai perdu mon coq que le goupil emporte. » Constant des Noes s'écria : « Vieille gueuse, qu'avez-vous donc fait pour ne pas l'attraper ? — Sire, dit-elle, vous avez tort de parler ainsi. Par tous les saints, je n'ai pas pu l'attraper. — Pourquoi ? — Il n'a pas voulu m'attendre. — Et si vous l'aviez assommé ? — Avec quoi ! — Avec ce bâton. — Par Dieu ! je n'ai pas pu ; il se sauve en trottant si bien que deux chiens bretons ne l'attraperaient pas. — Par où s'en va-t-il ? — Par là tout droit. » Les vilains courent en toute hâte ; chacun s'écrie : « Par là ! par là ! » Renart entend, qui prend les devants. Il vient au trou de la clôture, il saute et retombe le derrière sur le sol. Les vilains ont entendu le saut du voleur ; ils s'écrient tous : « Par ici ! par ici ! » Constant leur dit : « Vite, courons après ! » Les vilains s'élancent à toutes jambes. Constant appelle son mâtin Mauvoisin : « Bardol, Travers, Humbaut, Rebors[1], courez après Renart le roux ! » Dans leur course ils ont aperçu Renart ; ils crient ensemble : « Voilà le goupil ! » Chantecler est perdu, si, à son tour, il n'invente une ruse.

« Comment, fait-il, sire Renart ? Vous n'entendez donc pas les insultes de ces vilains qui vous donnent la chasse ? Constant vous poursuit à la course ; lancez-lui donc un de vos traits d'esprit en franchissant cette porte. Quand il dira : « Renart l'emporte. — C'est malgré vous », répondez-lui, et il en sera tout penaud ! »

Il n'y a si sage qui ne fasse des sottises : Renart qui trompe tout le monde fut bien trompé pour cette fois. Il s'écria

---

1. Noms de chiens.

RENART ET CHANTECLER

Miniature du XIVe siècle (Bibliothèque nationale, manuscrit français 1580).

à haute voix : « C'est malgré vous ; de ce coq j'emporte ma part. » Quand Chantecler sentit se desserrer la gueule du voleur, il battit des ailes et s'envola sur la branche d'un pommier. Renart, en bas, sur un tas de fumier, était fâché, marri et inquiet d'avoir laissé échapper le coq. Chantecler lui jeta un éclat de rire. « Renart, fit-il, que pensez-vous du train du monde ? Que vous en semble ? » Le glouton frémit et tremble, et il répond méchamment : « La bouche soit honnie qui s'occupe de parler à l'heure qu'elle doit se taire ! — Qu'il en soit, fait le coq, à ma volonté : la male goutte[1] crève l'œil qui s'occupe de sommeiller à l'heure qu'il doit veiller ! Cousin Renart, nul ne peut se fier à vous. Malheur à votre cousinage ! Il a bien failli m'endommager. Renart, parjure, allez-vous-en : si vous restez ici longtemps, vous y laisserez votre casaque. » Renart n'a cure de son discours, il ne veut plus parler, il s'en retourne sans faire plus long séjour. Il est affamé, il a le ventre vide. Par des broussailles, près d'une plaine, tout le long d'un sentier, il s'en va fuyant : il est triste, il se désole d'avoir laissé échapper le coq avant de s'en être rassasié.

RENART ET LA MÉSANGE

ANALYSE (vers 469-661).

Renart aperçoit une mésange sur la branche d'un chêne ; il la salue et lui demande de venir l'embrasser. La mésange ne cache pas sa méfiance : Renart proteste de ses bonnes intentions et annonce que Noble le lion vient de proclamer la paix universelle. La mésange n'est nullement convaincue et refuse encore de descendre embrasser Renart ; celui-ci, pour la rassurer, promet de fermer les yeux. La mésange chatouille alors ses moustaches avec des feuilles et de la mousse : il essaie soudain de la happer, mais n'attrape qu'une feuille. L'oiseau raille le perfide. Renart prétend avoir voulu plaisanter, et propose à la mésange de recommencer l'expérience. Il ferme de nouveau les yeux ; elle frôle la gueule, mais n'y entre pas, et le félon ne happe que le vide ; il demande en vain à la mésange, au nom de la sainte Charité, de tenter une troisième épreuve. Mais voici que surviennent des chasseurs ; Renart s'enfuit, malgré les railleries de l'oiseau qui lui rappelle la proclamation de la paix universelle. Il tombe sur un frère convers qui tient deux chiens en laisse : il se voit perdu. Mais il réussit à attendrir le saint homme qui ne lâche pas ses chiens ; Renart échappe aux chasseurs en franchissant un grand fossé.

---

1. *La male goutte* : maladie des yeux.

RENART ET TIBERT LE CHAT

ANALYSE (vers 665-842) :

Voici que Renart rencontre Tibert le chat : celui-ci saute et tourne sur lui-même pour essayer d'attraper sa queue. Soudain il aperçoit Renart qui le regarde ; il le reconnaît à son poil roux et lui souhaite la bienvenue. Renart, de fort méchante humeur, répond sans aménité ; il a faim, mais Tibert est bien armé de dents tranchantes et de griffes aiguës. Aussi Renart change-t-il de langage, et propose-t-il au chat de s'allier avec lui contre Ysengrin. Tibert accepte : les deux compères se jurent une foi mutuelle. Cependant Renart essaye de faire tomber son compagnon dans un piège tendu par un vilain : Tibert évite le piège. Surgissent deux mâtins : les compères décampent, et, en repassant près du piège, Tibert pousse Renart qui est pris par le pied droit. Tandis que le chat s'enfuit, le vilain, qui accourait derrière les chiens, lève sa hache, mais le coup dévie et brise le piège ; Renard est délivré, et se remet à fuir, dolent de sa patte grièvement blessée, heureux pourtant de ne l'avoir pas perdue. Il distance les chiens et, après une longue course, reprend haleine sous un hêtre.

RENART ET TIÉCELIN LE CORBEAU

TRADUCTION (vers 843-894) :

Entre deux collines, dans une plaine, près d'une rivière à droite, Renart vit un fort bel emplacement, peu fréquenté des gens ; il vit un hêtre planté là. Il passe l'eau et vient droit au hêtre. Autour du tronc il a gambadé, et puis il s'est couché sur l'herbe fraîche ; il n'a pas besoin de changer de gîte, s'il trouve un peu à manger ; à cette heure il lui plaît d'y séjourner.

Mais sire Tiécelin le corbeau, qui n'avait que trop jeûné ce jour-là, ne songeait pas à se reposer. Par nécessité il a quitté le bois, et en fendant les airs il est venu à un enclos, secrètement, par un détour, tout impatient de livrer bataille. Il vit un millier de fromages qu'on avait mis sécher au soleil ; la femme qui devait les garder était entrée dans sa maison. Dans sa maison elle était entrée : Tiécelin voit que c'est le moment de gagner sa journée ; il se laisse tomber, et il a pris un fromage. Pour le rattraper, la vieille s'est précipitée au dehors ; elle voit Tiécelin, lui lance cailloux et pierres. Elle lui crie : « Vassal, vous ne l'emporterez pas ! » Tiécelin la voit presque affolée : « Vieille, fait-il, si on en

parle, vous pourrez dire que je l'emporte, à tort ou à raison.
J'ai eu bonne occasion de le prendre. Mauvaise garde permet au loup de se repaître[1]. Le reste, gardez-le de plus près.
Celui-ci, vous ne l'aurez jamais plus. Je vais m'en servir
pour me faire la barbe, avec joie. J'ai essayé de le prendre,
parce que je l'ai vu tendre, jaunet et de bonne saveur [...]
Allez-vous-en, car je m'en vais. »

TEXTE :

895	Atant* s'en torne** et vient tot droit	*alors **retourne
	Au leu ou danz[2] Renarz estoit.	
	Ajorné[3] furent a cele ore	
	Renarz desos et cil* desore;	*celui-là
	Mes tant i out* de dessevraille**	*il y eut **différence
900	Que cil manjue*, et cil baaille.	*mange
	Li formaches est auques* mous,	*un peu
	Et Tiecelins i fiert* granz cous	*frappe
	Au chef* du bec, tant qu'il l'entame.	*du bout
	Mangié en a, maugré* la dame,	*malgré
905	Et del plus jaune et del plus tendre,	
	Qui[4] tel anui[5] li fist au prendre*.	*quand il l'a pris
	Granz cous i fiert a une hie*.	*avec force
	Onc n'en sot mot* quant une mie	*il ne s'en aperçut pas
	Li est a la terre cheüe*	*tombée
910	Devant Renart qui l'a veüe.	
	Il conoist bien si faite beste*,	*pareille bête
	Puis si en a crollé* la teste;	*remué
	Il lieve sus* por miex veoir,	*se lève
	Tiecelin voit lasus seoir,	
915	Qui ses comperes ert de viez*,	*depuis longtemps
	Le bon formache entre ses piez.	
	Priveement* l'en apela :	*familièrement
	« Par les Sainz Deu, que voi ge la ?	
	Estes vos ce* sire compere?	'est ce vous?
920	Bien ait hui l'ame vostre pere[6]	
	Dant[7] Rohart, qui si sot chanter!	
	Meinte fois l'en oï vanter	

---

1. Proverbe; **2.** *Danz :* cas sujet de *dam, dant* (lat. *dominum*), seigneur,
masculin de *dame ;* **3.** Réunis. *Ajourner,* c'est *assigner en justice* à un jour
déterminé; ce terme juridique est employé ici par plaisanterie; **4.** *Qui* a pour
antécédent *dame ;* **5.** Variante orthographique de *enui, ennui ; fere anui :* ici,
injurier ; **6.** Que l'âme de votre père ait bien (soit heureuse) aujourd'hui;
7. Voir la note du v. 896.

Qu'il en avoit le pris en France.
Vos meïsmes, en vostre enfance,
925 Vos en soliez* molt pener**.   *aviez l'habitude
Savez vos mais point* orguener[1] ?   **vous exercer
Chantez moi une rotruenge[2] ! »   *ne savez-vous plus
Tiecelins entent la losenge*,   *flatterie
Uevre le bec, si jete un bret*.   *cri
930 Et dist Renarz : « Ce fu bien fet[3].
Miex chantez que ne soliez.
Encore, se vos voliez,
Iriez plus haut une jointe*. »   *degré
Cil, qui se fet de chanter cointe*,   *habile
935 Comence de rechef a braire*.   *crier
« Dex* ! dist Renarz, com or esclaire,   *Dieu
Com ore espurge vostre voiz[4] !
Se vos vos gardïez de noiz[5],
Au miex du siecle chantissoiz*   *chanteriez
940 Chantez encor la tierce foiz. »
Cil crie[6] a hautisme aleine* ;   *à perdre haleine
Onc ne sot mot, que qu'il* se peine,   *pendant que
Que li piez destres li desserre,
Et li formages chiet* a terre,   *tombe
945 Tot droit devant les piez Renart.

Renart ne touche pas au fromage, car il voudrait bien attraper
Tiécelin lui-même :

951 Li formaches li gist devant ;
Il leva[7] sus, cheant levant[8] :
Le pié trait avant*, dont il cloche,   *avance le pied
Et la pel*, qui encor li loche** [...]   *peau **pend
Bien vout* que Tiecelins le voie.   *voulut
« Ha Dex ! fait-il, com poi* de joie   *peu
M'a Dex doné en ceste vie !
960 Que ferai ge, sainte Marie ?
Cist formages me put[9] si fort
Et flaire si, ja m'avra mort[10].

---

1. *Orguener* : jouer de l'orgue, chanter ; **2.** *Rotruenge* : chanson de danse,
ritournelle ; **3.** C'est tout à fait réussi ; **4.** Comme maintenant s'éclaircit, comme
maintenant devient pure votre voix ! ; **5.** Si vous vous absteniez de manger
des noix ; **6.** *Crie* compte pour deux syllabes ; **7.** *Lever* a dans ce vers la valeur
intransitive du pronominal actuel *se lever ;* **8.** *Cheant levant* : tombant se levant,
c'est-à-dire clopin-clopant ; **9.** De *puir*, devenu *puer* en changeant de conju-
gaison ; **10.** Exhale une odeur telle qu'il m'aura bientôt tué.

Tel chose i a qui molt m'esmaie*,   *effraie

Que formages n'est prous* a plaie,   *bon

965 Ne de lui talent* ne me prent,   *désir

Car fisicle[1] le me defent.

Ha! Tiecelins, car descendez*!   *descendez donc

De cest mal si me defendez! »

Renart explique à Tiécelin qu'il a eu récemment la patte prise dans un piège (allusion discrète au mauvais tour que lui a joué Tibert le chat) et que sa blessure ne lui permet pas de se déplacer.

Tiecelins cuide* que voir** die[2]   *croit **vrai

Por ce que en plorant li prie.

Il descent jus*, que ert** en haut; *à terre **car il était

980 Mais mar* i acointa[3] le saut,   *à tort

Se danz Renarz le puet tenir.

Tiecelins n'ose pres venir;

Renarz le vit acoarder*,   *avoir peur

Sel* commença aseürer** :   *si le **rassurer

985 « Por Deu, fait-il, ça vos traiez*!   *venez ici

Quel mal vos puet faire uns plaiez* ? » *blessé

Renarz devers lui se torna.

Li fox*, qui trop s'abandona,   *fou

Ne sot ainz mot quant il sailli[4];

990 Prendre le cuida*, si failli**;   *crut **manqua

Et neporquant* qatre des panes**   *toutefois **des plumes

Li remestrent* entre les quenes**. *restèrent **dents

Tiecelins saut toz esmaiés*,   *ému

Qui dut estre molt mal paiés[5];

995 Derriers et devant se regarde :

« Hé Dex*, dist il, si male garde   *Dieu

Ai hui prise de moi meïsme! [...] »

1005 Or est Tiecelins molt pleins d'ire,

Et Renarz s'en volt escondire*;   *excuser

Mais danz Tiecelins l'entrelait*,   *quitte

N'est ore pas haitiés de plait[6].

Si dist : « Li formages soit vostre!

---

1. *Fisicle* : forme populaire du mot *physique* : la médecine, les médecins; **2.** *Die* est un subjonctif; ce mode était employé en ancien français après les verbes signifiant *croire*, à cause de la nuance de doute qu'ils impliquent; **3.** *Acointa* : entreprit; la valeur temporelle exprimée ici par le passé simple serait rendue aujourd'hui par le futur antérieur : *aura entrepris ;* **4.** Ne s'aperçut de rien au moment où Renart bondit; **5.** Qui a failli être bien mal payé; **6.** N'est pas maintenant disposé à discuter.

1010 Plus n'averoiz vos hui del nostre*.   *de notre bien
    Je fis que fox[1], que* vos creoie,   *car
    Puis que eschacier* vos veoie. »   *boiteux
    Tiecelins parla et grondi*,   *se plaignit
    Renarz un mot ne respondi.
1015 Soef* en a le duel[2] vengié,   *doucement
    Que le formache a tot mangié;
    N'en plaint que la male foison[3],
    Car tant li vaut une poison[4].
    Quant il s'en fu desjeünez*,   *nourri
1020 Si dist « des l'ore qu'il fu nez
    Ne manja il de tel formache
    En nule terre que il sache. »
    Onques sa plaie[5] n'en fu pire[6];
    Atant* s'en vet**, ne volt plus dire.   *alors **va

ANALYSE (vers 1025-1396) :

Renart poursuit sa route et arrive à une haie. Il aperçoit une caverne sous une roche; il y pénètre et se trouve soudain à son grand déplaisir dans la demeure de son ennemi Ysengrin. Quatre louveteaux nouveau-nés sont couchés au milieu de la salle avec leur mère, dame Hersent, en train de les allaiter; la louve lève la tête et reconnaît à sa peau rousse Renart, qui se fait tout petit derrière la porte. Le maître du logis est absent, et dame Hersent réserve à l'intrus un accueil aimable. Renart fait la cour à la louve, puis avant de s'éclipser il saccage la demeure, insulte et souille les louveteaux. La rage d'Ysengrin est à son comble quand à son retour de la chasse il apprend de ses fils la conduite de Renart et de dame Hersent.

---

1. J'ai agi en fou; **2.** Son deuil de n'avoir pu attraper le corbeau; **3.** *La male foison* : la mauvaise quantité, c'est-à-dire la quantité insuffisante; **4.** *Une poison* : un breuvage (il l'avale aussi vite qu'un breuvage); **5.** *Plaie* compte pour deux syllabes; **6.** Sa plaie ne s'en trouva pas plus mal.

BRANCHE Vᵃ

(1 026 vers)

RENART ET BRUN L'OURS

ANALYSE (vers 1-610) :

Ysengrin décide d'aller porter plainte contre Renart devant le roi, Noble le lion. Il chemine avec dame Hersent jusqu'au palais où le roi, dont le loup est connétable, tient sa cour. Ysengrin expose éloquemment ses griefs contre Renart et réclame justice; le roi, gardien non seulement du droit, mais aussi de la courtoisie et de l'amour, est assez perplexe. Le chameau, docte jurisconsulte venu de Lombardie, et légat du pape, déclare, dans un mélange de latin, de langue d'oc et de langue d'oïl, que le rôle du roi est de faire respecter sévèrement la loi. Noble renvoie la cour en ordonnant aux bêtes les plus fortes d'examiner la plainte et de prononcer le jugement. Alors s'assemblent Brichemer le cerf, Brun l'ours, Baucent le sanglier. Celui-ci prend le premier la parole et marque une certaine défiance à l'égard d'Ysengrin; par contre le cerf se prononce contre Renart. Il est approuvé par Brun, qui raconte comment Renart s'est joué de lui.

TRADUCTION (vers 611-766) :

Renart, haï de tant de gens, avait découvert près d'un plessis[1] une ferme récemment construite; là demeurait, à la lisière du bois, un vilain, bien pourvu de coqs et de poules. Renart en fit un grand carnage, car il en mangea plus de trente : à cette besogne il apporta tout son soin. Le vilain guette Renart, dresse ses chiens; il ne laisse dans les bois sente ni carrefour où il n'ait tendu piège, ou trébuchet[2], ou collet, ou filet. Renart fut bien ennuyé quand il apprit la chose et qu'il ne put aller jusqu'à la ferme : ce diable-là songea alors que j'étais gros et facile à voir, lui, au contraire, petit et menu : ainsi j'attirais plutôt l'attention; soit dans le bois, soit dans la plaine, on s'en prendrait plutôt à moi, si nous étions ensemble; je serais attrapé et lui pourrait s'échapper. Il savait que j'aimais le miel plus que chose qui soit sous le ciel; il vint me trouver cet été avant la fête de la Saint-Jean : « Ah! fit-il, messire Brun, quel gâteau de miel je connais! — Où cela? — Chez Constant des Noes.

1. *Plessis :* petit bois entouré d'une haie; 2. *Trébuchet :* sorte de piège.

— Et pourrai-je y mettre les pattes? — Oui, je l'ai bien regardé! » Nous entrâmes par une porte ouverte, près d'une grange, dans un verger; nous devions rester là sans bouger, jusqu'au soir, entre les choux. A la tombée de la nuit, nous devions briser le gâteau et manger le miel. Mais le glouton ne put se tenir coi : il aperçut les poules dans le pailler et se mit à ouvrir la gueule. Il se jette sur une; les poules crièrent. Les vilains qui étaient dans la ferme commencent à faire tapage; il y en eut bientôt plus de mille. Ils accoururent vers le courtil, plus de quarante en troupe, couvrant Renart de huées; ce ne fut merveille, on s'en doute, si je fis demi-tour au grand galop. Renart avait déjà décampé; toute l'attaque se retourna sur moi. Quand je le vis tirer de son côté : « Comment, dis-je, sire Renart, allez-vous me laisser là? — Que chacun se débrouille de son mieux, beau sire Brun; maintenant il faut trotter [...] Ces vilains voudront nous mettre dans le sel[1]; entendez le bruit qu'ils mènent. Si votre fourrure vous paraît trop lourde, n'en ayez plus l'âme abattue; un autre la portera bientôt à votre place. Je vous précède à la cuisine où je porte cette poule; là je vais vous la préparer; à quelle sauce la voulez-vous? » Le traître aussitôt se défile, et me laisse en cette horrible presse.

Le tumulte allait en grandissant; les chiens s'élancèrent sur moi : à moi ils s'attachent pêle-mêle; les flèches volent comme grêle; les cors et les huées des vilains retentissent dans la campagne. Qui m'aurait vu alors me retourner vers les mâtins de tout mon élan, fouler et mordre à l'environ, heurter, battre et déconfire, pourrait bien dire sans mensonge que jamais on ne vit animal lâcher sur des chiens pareille tempête. Quand je vis les épieux et les flèches barbelées tomber autour de moi et les vilains accourir, je me jetai sur eux en laissant là les chiens; j'eus aussitôt le champ libre, car personne ne fut assez hardi pour ne pas prendre la fuite. J'atteignis l'un des fuyards : je le renverse et le piétine; un autre portait une grande massue : en entendant crier le premier sous mes pattes, il se retourne, lève à deux mains sa massue et m'en donne un si bon coup derrière l'oreille que me voilà à terre bon gré mal gré. Je me sens si démoli que je lui laisse son compagnon; je me redresse,

---

1. C'est ce qui arrivera finalement à Brun (branche IX).

et eux ils criaient toujours. Les chiens se rallient à moi,
et me tirent et me déchirent. Quand les vilains s'en aper-
çurent, voilà que tous me vont pressant de leurs épieux;
ils jettent des pierres, lancent des flèches; les mâtins aboient.
Quand je pouvais en attraper un, je le faisais hurler malgré
lui, mais ils me blessaient durement et les vilains ne me ras-
suraient pas. Je commence à battre en retraite vers le bois,
là où je vois la presse moindre; je m'en tire le mieux possible.
Un peu plus j'y restais. Tantôt fuyant, tantôt mordant,
par des buissons sur une pente, en dépit de tous mes ennemis, je réussis à me mettre dans le bois. Voilà le cadeau que
m'a fait Renart le roux pour la poule qu'il a attaquée. Je
ne dis pas cela pour porter plainte, mais pour vous édifier
sur le personnage : sire Ysengrin se plaint de lui, hier s'est
plaint aussi Tiécelin d'avoir été plumé par ce traître. Il
voulait aussi faire prendre au piège Tibert le chat, et c'est
lui qui y laissa de sa peau; il s'est conduit aussi en brigand
avec la mésange sa commère, en l'attaquant sous prétexte
de lui donner un baiser, tel Judas, qui trahit Dieu. De tous
ces crimes il doit être jugé : c'est grand péché à nous de
lui avoir montré tant d'indulgence.

ANALYSE (vers 767-1026) :

Baucent le sanglier déclare qu'il serait juste d'entendre aussi
Renart avant de le juger; le sieur Coupereau prend parti pour l'accusé, Brun s'indigne de cette attitude. Dom Brichemer le cerf,
dans une intention conciliante, propose qu'on obtienne de Renart
la promesse d'accorder réparation à Ysengrin et que le différend,
au cas où le roi serait absent, soit porté devant Roënel, le chien
de Frobert de La Fontaine; les propositions de Brichemer sont
approuvées par le Conseil. La séance levée, le cerf communique
cette décision au roi; Noble est fort satisfait de n'avoir plus à s'oc-
cuper de l'affaire et il convoque les parties devant Roënel; il confie
à Grimbert le blaireau le soin d'aller mander Renart. Grimbert
se rend à Malpertuis[1], séjour de Renart, et celui-ci promet de se
rendre à l'assignation pour « faire sa paix » avec le loup.

La veille du jour dit, Ysengrin va trouver Roënel et complote
avec lui : il est entendu que Roënel s'étendra comme mort dans
un fossé, dents découvertes, cou ployé et langue tirée; Renart devra
jurer son innocence sur la dent de Roënel, qui alors le retiendra
jusqu'à ce que d'autres chiens, plus de quarante mâtins, vieux et
félons, l'aient assailli. Ysengrin bat la forêt pour rassembler tous
ses amis : Brichemer le cerf, Brun l'ours, Baucent le sanglier, Musart

1. *Malpertuis, Maupertuis* signifie proprement « mauvais trou ».

le chameau; le lion de son côté mande le léopard, le tigre, la pan-
thère, Cointereau le singe avec sa femme; Ysengrin les exhorte à
se ranger de son côté; Foinet le putois porte son gonfanon, Tibert
le chat est présent lui aussi. Mais les partisans de Renart ne
manquent pas de venir eux non plus : sire Grimbert le blaireau,
Rousselet l'écureuil, dame More la marmotte, Courte la taupe,
dom Pelé le rat, dom Galopin le lièvre, la martre, le hérisson, la
belette, le furet. Renart et ses amis se hâtent vers la ferme où le
procès doit être jugé; déjà Ysengrin occupe la plaine, Renart la
montagne; Roënel fait le mort dans le fossé; plus de cent chiens
sont cachés tout près de lui dans un verger.

Brichemer, qui préside la cour, prend la parole; il invite Renart
à venir prononcer son serment sur la dent de Roënel. Mais l'accusé
s'aperçoit que le prétendu mort est bien vivant; car son flanc se
soulève lorsqu'il reprend haleine; le guet-apens est éventé. Renart
se retire un peu en arrière au lieu de s'avancer. Le blaireau explique
à Brichemer que la dignité de Renart ne saurait s'accommoder
d'une telle foule autour de la relique sur laquelle il doit jurer.
Brichemer se rend à cette raison et ordonne à tous les assistants
de s'éloigner. Brusquement Renart s'enfuit, tête levée : ses ennemis
crient, et les chiens[1] qui le guettaient s'élancent à sa poursuite.
Il est mordu et pelé à plusieurs reprises, mais il réussit pourtant
à regagner son Malpertuis.

BRANCHE V
(246 vers)

RENART, YSENGRIN ET LE JAMBON; RENART ET LE GRILLON

ANALYSE :

En quête de nourriture, Renart, qui espérait bien ne pas trouver
Ysengrin sur sa route, tombe justement sur lui; si brusque est la
rencontre que Renart n'a pas le temps de fuir. Aussi prend-il le
parti de saluer fort poliment son *compère ;* Ysengrin ne cache pas sa
joie de tenir celui dont il désire tant se venger. Sans plus tarder,
il se met à la besogne et entame de belle façon la peau de son ennemi;
Renart reste bientôt sans mouvement. Alors Ysengrin, qui au fond
n'est pas méchant homme, a des remords; il s'écrie : « Ah! je suis
trahi! Ma colère m'a emporté; j'ai agi bien vilainement, puisque
j'ai fait périr mon conseiller. » A ces mots, Renart bouge un peu,

---

1. L'auteur en fait une énumération épique, à la façon des chansons de geste.

et le voilà bientôt redressé. « C'est grand péché, dit-il à Ysengrin ; je suis votre neveu en somme. »

En regardant par la plaine, Renart voit près du bois un vilain qui portait un jambon ; il sourit à cette vue et propose au loup d'aller s'emparer du jambon. Il court se placer sur la route du vilain et se traîne comme s'il était atteint de paralysie ; l'homme veut l'attraper, mais Renart saute au bon moment et accélère peu à peu sa fuite. Pour mieux courir, le vilain jette son jambon ; tandis qu'il s'éloigne en poursuivant Renart, Ysengrin s'empare du jambon et va le manger dans un buisson. Pour Renart, il ne laisse que la corde. Le vilain, qui renonce bientôt à sa chasse, se désole de ne plus retrouver son jambon ; Renart n'est pas content non plus d'avoir été frustré de sa part. Mais il ne tient pas à batailler et prend vite congé d'Ysengrin en lui annonçant qu'il part en pèlerinage.

Il entre bientôt dans le jardin d'un prêtre ; il y rencontre un grillon qui chantait près du four. Renart lui demande de chanter le psautier ; comme le grillon s'approche pour s'enquérir de quel pied cloche le pèlerin, celui-ci se jette sur le chantre pour l'avaler, mais il le manque. Renart s'excuse en alléguant qu'il voulait seulement dévorer le livre, pour apprendre d'un seul coup toutes ses chansons ; il demande au grillon de le confesser ; l'autre réplique en annonçant l'arrivée des chasseurs et de leurs chiens. Renart se réfugie en haut du four ; et il a le plaisir de voir les chiens tomber sur Ysengrin, qui se délivre d'eux à grand-peine.

BRANCHE XV
(522 vers)

TIBERT ET L'ANDOUILLE

ANALYSE (vers 1-100) :

Renart affamé et en quête d'aventure rencontre Tibert le chat ; il voudrait bien se venger de celui qui, jadis, l'a fait tomber dans un piège[1]. Le chat s'enfuit, Renart l'interpelle pour l'amadouer. Tibert s'arrête bientôt et fait mine de se préparer à la bataille. Renart, qui craint les griffes du chat, se lance dans un discours fort moral : sur un ton de prédicateur, il déplore le manque de loyauté dont font preuve trop de gens en ce monde. Lui-même se repent d'avoir voulu tromper Tibert, mais celui-ci n'éprouve-t-il pas de son côté quelque remords de l'affaire du piège où Renart a failli

---

1. Allusion à la première partie de la branche II.

laisser la peau ? En tout cas, le bon apôtre pardonne tout. Tibert s'excuse mollement et les deux compagnons se jurent mutuellement loyale et fidèle amitié.

TRADUCTION (vers 101 et suivants) :

Tous deux s'en vont par une sente ; ils étaient tourmentés par une faim terrible. Mais, par une merveilleuse aventure, voilà qu'ils ont trouvé une magnifique andouille, tout près de leur chemin, dans une terre labourée. Renart l'a tout d'abord saisie, et Tibert a dit : « Dieu nous soit en aide ! beau copain Renart, j'ai droit à la moitié. — Comment donc ! dit Renart ; qui veut vous prendre votre part ? Ne vous ai-je pas donné ma foi ? » Tibert n'est guère rassuré par le serment de maître Renart. « Copain, dit-il, mangeons-la donc. — Ah non ! dit Renart ; si nous restions ici, nous serions dérangés. Nous devons l'emporter plus loin. — D'accord », dit Tibert, en voyant qu'il ne peut en être autrement. Renart était maître de l'andouille : il la prend par le milieu avec ses dents et elle pend de chaque côté de sa gueule.

Tibert ressent un grand chagrin ; il s'est approché un peu de son compagnon : « Voilà, dit-il, une bien vilaine façon. Comment portez-vous cette andouille ? Ne voyez-vous pas comme elle est salie ? Vous la traînez dans la poussière et vous bavez dessus entre vos dents. Tout le cœur m'en soulève de dégoût. Mais je vous garantis une chose ; si vous la portez ainsi longtemps, je vous la laisserai tout entière. Moi, je la porterais autrement. — Vous ? dit Renart ; et comment ? — Passez-la-moi et vous verrez, dit Tibert ; il est juste que je vous soulage de son poids, puisque vous l'avez vue le premier. » Renart ne cherche pas à refuser, car il songe que, si le chat portait cette charge, il en serait vite accablé et moins habile à se défendre. Tibert n'était pas peu joyeux. Il prend l'andouille avec grâce, met l'un des bouts dans sa gueule, la balance et la rejette élégamment sur son dos ; puis il se tourne vers Renart : « Copain, dit-il, voilà comme vous la porterez quand je vous la rendrai : elle ne traîne pas dans la poussière et je ne la salis pas dans ma bouche. Je ne la porte pas de vilaine manière ; un peu de distinction est de grand prix. Maintenant nous nous en irons jusqu'à ce tertre où je vois cette croix plantée. Que notre andouille soit mangée là ; je ne veux pas que nous la portions plus loin ; c'est là que nous l'expédierons. Là nous n'aurons rien à craindre, car nous verrons, de tous côtés, venir ceux qui nous voudront mal faire. Allons-y donc. »

De tout cela Renart ne s'inquiéterait guère : mais Tibert au grand galop le précède sur le chemin. Il ne s'arrêta pas de courir avant d'être parvenu à la croix. Renart fut fort irrité quand il s'aperçut de la ruse; à pleine gueule il crie : « Compère, attendez-moi. — Renart, répond Tibert, n'ayez crainte; tout cela tournera au mieux; mais courez derrière moi! » Tibert n'avait pas besoin de maître pour savoir monter et descendre; des ongles il se prend à la croix et grimpe dessus très promptement.

Il s'est assis sur un des bras. Renart était bien affligé; il se sait berné, sans illusion possible : « Tibert, fait-il, que se passe-t-il? — Tout va bien, dit Tibert; montez ici, nous mangerons l'andouille. — Ce ne serait pas commode, dit Renart; mais vous, Tibert, descendez! Car je ne pourrais pas monter là-haut sans dommage pour moi. Faites donc preuve de courtoisie : jetez-moi la part qui me revient, et ainsi vous aurez tenu votre parole. — Renart, que dites-vous là? Il semble que vous soyez ivre; je ne ferais pas cela pour cent livres. Vous devez bien savoir la valeur de cette andouille : c'est une andouille bénite qui ne doit être man-gée que sur une croix ou dans un moutier[1]; on doit la traiter bien hautement. — Beau Tibert, n'ayez point tant de scrupules; il y a peu de place là-haut et nous n'y pour-rions tenir à deux. Mais agissez en vrai baron, puisque vous ne voulez pas descendre. Mon cher Tibert, vous le savez bien, vous m'avez juré d'être mon loyal compagnon; et compagnons allant ensemble, s'ils trouvent quelque chose, doivent, me semble-t-il, avoir chacun leur part. Si vous ne voulez renier votre parole, partagez là-haut cette andouille, et jetez-moi ma part en bas. Je prendrai le péché pour moi. — Non, dit Tibert, par ma foi; copain Renart, vous parlez étrangement. Vous êtes pire qu'un hérétique : vous me demandez de jeter une chose aussi vénérable! Vraiment, je n'aurai jamais assez bu pour vous la lancer par terre. C'est une chose très sainte en religion : andouille est son nom,

---

1. *Moutier* : monastère; le mot finit par prendre le sens général d'église. Cette plaisanterie sur la « sainte andouille » fait partie des traditions comiques qui consistent à parodier certains rites religieux ou certaines croyances. On connaît un *Panégyrique de sainte Andouille*, parodie de certaines harangues sacrées.

vous le savez, vous en avez assez entendu parler. Je vous
dirai ce que vous ferez : vous vous en passerez pour cette
fois. Mais je vous fais ici ce don : la première andouille
que nous trouverons sera toute à vous, sans partage, et
ne m'en donnez pas une miette. — Tibert, Tibert, dit
Renart, tu tomberas encore entre mes pattes. Allons, jette-
moi un peu de l'andouille. — Ce sont paroles étranges, dit
Tibert, qui viennent à mon oreille; ne pouvez-vous donc
attendre d'en trouver une autre, bien tendre, qui sera à
vous sans conteste ? Vous ne faites pas bonne figure dans
l'abstinence. »

Tibert abandonne la discussion et commence à manger
l'andouille. Renart à ce spectacle a les yeux brouillés de
larmes. « Renart, dit Tibert, je suis content de vous voir
pleurer pour vos péchés; que Dieu qui connaît ton repentir
t'en allège la pénitence. — Suffit, dit Renart, mais tu des-
cendras bien. Tu auras soif, et alors il te faudra bien venir
vers moi. — Vous ne savez pas, dit Tibert, comme Dieu
m'aime vraiment. J'ai là, tout près de moi, un creux qui
étanchera bien ma soif; il a plu tout récemment et il y est
resté assez d'eau, à peu près une jalée[1], que je boirai comme
mon bien propre. — Pourtant, dit Renart, vous descendrez
ou tôt ou tard. — Ce ne sera, dit Tibert, de longtemps. —
Ce sera, dit Renart, avant que sept ans soient passés. — Le
jureriez-vous ? — Je jure, dit Renart, de t'assiéger jusqu'à ce
que je te tienne. — Il y a une chose, dit Tibert, qui m'attriste et me fait grand-pitié : c'est que vous n'avez encore
rien mangé et que vous devez jeûner pendant sept ans;
pourrez-vous résister si longtemps ? Mais vous ne pouvez
vous tirer de là, il vous faut tenir le serment que vous avez
juré. — Ne vous tourmentez pas, dit Renart. — Je me tais,
répond Tibert, je ne dirai plus rien. Mais vous, ayez soin
de ne pas bouger. »

ANALYSE :

L'attente de Renart ne durera pas longtemps, car voici qu'il
s'inquiète d'entendre un chien aboyer au loin. Tibert lui déclare
qu'il s'agit d'une procession de fidèles qui chantent messes et
matines à travers la campagne et viennent adorer la croix. Renart
doit rester là et s'associer à leurs prières en sa qualité d'ancien prêtre.
S'il s'enfuit, il violera son serment d'assiéger la croix pendant sept

---

1. *Jalée* : contenu d'une *jale*, grande jatte.

ans et Tibert l'accusera de lâcheté devant le roi Noble. Renart n'est pas convaincu et préfère décamper; il échappe sans trop de peine à la meute, mais se propose de tirer une belle vengeance de Tibert.

Surviennent deux prêtres, Torgis et Rufrangier, montés l'un sur une jument, l'autre sur, un palefroi; ils aperçoivent le chat sur la croix et admirent sa peau. Ils s'en disputent la possession avant même d'avoir attrapé la bête; ils conviennent enfin que Rufrangier aura toute la peau et, en compensation, paiera à Torgis la moitié de sa valeur. Rufrangier se met debout sur sa selle pour atteindre le chat au sommet de la croix; mais Tibert se hérisse de fureur et griffe au visage le prêtre qui tombe à la renverse et perd connaissance. Le chat saute sur le dos du cheval; celui-ci prend peur et s'enfuit jusqu'à son écurie. La femme du prêtre[1], en voyant revenir le cheval sans son maître, s'épouvante et prend le chat pour le diable. Tibert saute à terre et s'échappe. Sorti de son évanouissement, le prêtre croit, lui aussi, qu'il a été victime d'une ruse du diable et rentre chez lui raconter sa mésaventure à sa femme.

BRANCHE III
(510 vers)

RENART ET LES ANGUILLES

TRADUCTION :

Messeigneurs, ce fut à l'époque où, le doux temps d'été fini, revient l'hiver. Renart était dans sa maison. Ses provisions étaient épuisées : mortelle disgrâce! Il n'a rien pour se restaurer. Il est forcé de se mettre en route; tout doucement, qu'on ne le voie, il s'avance dans les joncs entre le bois et la rivière. A la fin il arrive sur un chemin battu; il s'asseoit sur son derrière et tend le cou dans toutes les directions. Où trouver de quoi manger? La faim lui fait une terrible guerre. Que faire? Il est très inquiet. Alors il s'est couché près d'une haie pour attendre là une occasion.

Or, voici qu'à grande allure des marchands venaient de la mer avec du poisson. Ils avaient des harengs frais en quantité, car la bise avait soufflé pendant toute la semaine, et encore d'autres bons poissons de mer, grands et petits,

---

1. Beaucoup de prêtres étaient alors mariés.

plein leurs paniers, sans compter les lamproies et les
anguilles qu'ils avaient achetées en passant dans les vil-
lages; leur charrette était bien chargée. Renart, qui trompe
le monde entier, était encore éloigné d'eux de la portée
d'un arc. En les voyant, il s'enfuit par des chemins détour-
nés, prend les devants pour les duper. Il se couche au
milieu du chemin, faisant le mort, après s'être roulé dans
l'herbe d'une prairie. Les yeux clos, les dents entrouvertes,
il retenait son haleine. Avez-vous jamais entendu parler
d'une telle trahison? Les marchands approchent, qui ne se
doutaient de rien. Le premier qui le vit le regarde et appelle
son compagnon : « Voilà un goupil ou un chien! » L'autre
s'écrie : « C'est un goupil! Vite, attrape-le; garde qu'il ne
t'échappe! Il sera trop rusé, s'il ne nous laisse sa peau. »
Le marchand se hâte et son compagnon le suit; les voilà
près de Renart. Ils trouvent le goupil ventre en l'air; ils le
retournent de tous côtés sans crainte d'être mordus. Ils
estiment son dos et sa gorge; l'un déclare qu'il vaut bien
trois sous[1]. « Dieu me sauve! dit l'autre, il en vaut bien
quatre, à bas prix. Nous ne sommes pas trop chargés,
jetons-le sur notre charrette. Vois comme sa gorge est
blanche et nette! »

A ces mots ils le lancent dans la charrette et se remettent
en route. Ils se réjouissent ensemble, disant : « Nous n'en
ferons rien de plus pour le moment, mais ce soir, à la maison,
nous lui retrousserons sa robe[2]. » Ils sont plutôt satisfaits
de l'histoire; mais Renart se contente d'en rire, car il y a
loin de faire à dire. Il se coucha contre les paniers, en ouvrit
un avec les dents et voilà qu'il en a tiré, sachez-le bien,
trente harengs; le panier fut bientôt presque vide. Il a
mangé de bon cœur, sans s'inquiéter de l'assaisonnement;
mais avant de s'en aller, il va encore lancer son hameçon,
je n'en doute pas. Ensuite il a attaqué un autre panier : il y
enfonce son museau, et ne manque pas d'en tirer trois col-
liers d'anguilles[3]. Renart le rusé passe le cou et la tête
dedans, et s'en couvre toute l'échine. Maintenant la besogne
est terminée; il faut seulement trouver un moyen de descendre. Il n'y a pas de planche ni de marchepied : il s'est
agenouillé pour étudier la meilleure façon de sauter. Il

---

1. Le sou était une pièce d'argent d'un pouvoir d'achat relativement impor-
tant; 2. Nous l'écorcherons; 3. Les anguilles étaient enfilées par la tête dans
une corde dont on rattachait les deux bouts.

s'avance un peu et des pattes de devant se lance au milieu
de la route, portant sa proie autour du cou. Et quand il a
sauté il crie aux marchands : « Dieu vous garde! Cette
belle charge d'anguilles est à nous; vous pouvez garder
le reste! » A ces mots les marchands furent merveilleuse-
ment ébahis. « Le goupil! » s'écrièrent-ils. Ils bondirent
dans la charrette, croyant y attraper encore Renart, mais
celui-ci ne les avait pas attendus. L'un des marchands
regarde et dit à l'autre : « Nous avons fait mauvaise garde,
ce me semble. » Ils se frappent les mains. « Hélas! dit l'un,
quel dommage nous a coûté notre trop grande confiance!
Nous étions bien bêtes, tous deux, de ne pas nous méfier
de Renart [...] Ha! Renart, vous ne valez pas cher; que les
anguilles vous rendent malade! — Seigneurs, dit Renart,
je n'ai pas l'intention de discuter. Vous direz ce qui vous
plaira : je suis Renart qui se taira. »

[...] Renart s'en vient tout droit à son château, où sa famille
l'attendait en grande détresse. A sa rencontre s'élança sa
femme, Hermeline la jeune, la courtoise et la franche. Ses
deux fils, Percehaie et Malebranche, coururent aussi au-
devant de leur père qui s'en venait à menus sauts, gros et
repu, joyeux et fier, les anguilles autour du cou. Dût-on
le tenir pour fou, il a bien fermé sa porte derrière lui à cause
des anguilles qu'il apporte.

Maintenant Renart est dans sa tour. Ses fils lui font bel
accueil; ils lui ont bien essuyé les jambes. Ils écorchent
les anguilles, les coupent en morceaux, et les passent dans
des broches de coudrier. Le feu est vite allumé, car le bois
ne manquait pas; ils soufflent de tous côtés, et mettent les
anguilles sur la braise qui était restée des tisons.

Pendant qu'ils les faisaient rôtir, voici que monseigneur
Ysengrin, qui errait depuis le matin sans rien trouver à
prendre, se dirigea, épuisé par le jeûne, droit à travers un
essart vers le château de Renart. Il voit fumer la cuisine où
le feu était allumé et où rôtissaient les anguilles; il sent leur
odeur qu'il ne connaissait pas. Il commence à froncer le nez
et à se lécher les moustaches. Il irait volontiers offrir ses
services, si on voulait lui ouvrir la porte. Il s'approcha d'une
fenêtre pour regarder à l'intérieur. Il se met à réfléchir pour
savoir comment entrer, ou par prière ou par amour. Ce ne
peut être avec honneur, car le caractère de Renart est tel
qu'il n'accédera pas à une prière. Il s'est accroupi sur une

souche; de bâiller il a mal à la gueule. Il court, s'arrête,
repart, regarde, mais ne trouve aucun moyen de mettre
le pied dans la demeure, ni pour don ni pour promesse.
Mais à la fin, il pense qu'il priera son compère de lui
donner peu ou prou de ses provisions. Il l'appela par un
pertuis[1] : « Sire compère, ouvrez-moi la porte! Je vous
apporte de belles nouvelles. »

Renart l'entendit, il le reconnut bien, mais il ne s'en
émut guère et fit la sourde oreille. Ysengrin s'en émerveille,
qui, au dehors, le malheureux, renifle avec envie l'odeur
des anguilles. Il s'écrie : « Ouvrez, beau sire! » Renart se
met à rire et demande : « Qui êtes-vous? — C'est moi. —
Qui, vous? — C'est votre compère. — Ah! je croyais que
c'était un voleur. — Non! Non! dit Ysengrin, ouvrez! »
Renart répond : « Patientez, jusqu'à ce que les moines aient
mangé, qui sont installés au réfectoire. — Comment?
fait-il, ce sont des moines? — Non, mais des chanoines.
Ils sont de l'ordre de Tiron[2], sans mentir, s'il plaît à Dieu.
Je me suis fait religieux avec eux. — Nomini Dame[3]! dit
le loup, m'avez-vous dit la vérité? — Oui, par sainte Charité!
— Alors, faites-moi héberger. — Vous n'auriez pas de
quoi manger. — Dites, vous n'avez pas de quoi manger? »
Renart répond : « Mais oui! par ma foi! Je vais aller demander, mais êtes-vous venu pour faire le truand[4]? — Non,
bien sûr! mais je veux voir votre installation. — Impossible!
répond Renart. — Et pourquoi donc? — C'est interdit.
— Dites-moi, mangez-vous de la viande? — Plaisanterie!
dit Renart. — Que mangent donc vos moines? — Ils
mangent des fromages mous et de gros poissons. Saint
Benoît nous commande de ne pas nous nourrir plus mal.
— Je ne m'en doutais pas, dit Ysengrin, je ne savais rien
de tout cela! Eh bien! faites-moi héberger! Aujourd'hui je
ne sais vraiment où aller. — Héberger? dit Renart; ne
parlez pas ainsi! Nul, s'il n'est moine ou bien ermite, ne
peut loger ici. Allez plus loin : rien d'autre à faire. » Ysengrin comprend bien que par aucun moyen il n'entrera
dans la maison de Renart. Que voulez-vous? il se résignera.
Et pourtant il demande : « Est-ce bon à manger, le poisson?
Donnez-m'en donc un morceau, rien que pour goûter! »

---

1. *Pertuis :* ouverture étroite, sorte de chatière; 2. La congrégation de Tiron
(près de Nogent-le-Rotrou), fondée en 1113 et réunie plus tard à l'ordre de
Cîteaux; 3. Pour *In nomine Domini*, au nom du Seigneur; 4. Le mendiant.

ANALYSE :

Renart prend deux morceaux des anguilles qui rôtissent sur les charbons, croque l'un et apporte l'autre à Ysengrin.

TRADUCTION :

« Approchez, compère, et par charité prenez votre part de la pitance que vous offrent ceux qui espèrent vous voir un jour moine avec eux. — Je ne sais encore ce que je deviendrai : la chose est bien possible. Mais la pitance, beau doux maître, donnez-la-moi tout de suite. » Ainsi fait Renart; l'autre la prend et l'a vite expédiée; il en mangerait encore. « Eh bien! dit Renart, que vous en semble? » Le glouton frémit et tremble, il brûle de gloutonnerie. « Ah! fait-il, sire Renart, vous en serez bien récompensé; donnez-m'en encore un morceau, un seul, beau compère, pour m'attirer par cette amorce jusque dans votre ordre. — Par vos bottes[1]! dit Renart, animé de méchantes intentions, si vous vouliez vous faire moine, vous seriez bientôt mon maître, car je suis sûr qu'on vous nommerait prieur ou abbé avant la Pentecôte. — Vous êtes-vous moqué de moi? — Nenni, répond Renart, j'ose bien vous le dire, foi que je dois à saint Félix, il n'y aurait pas de si beau moine au couvent. — Mais aurais-je assez de poisson pour être guéri du mal qui m'a tourmenté? — Autant que vous en pourrez manger. Allons, faites-vous tonsurer, faites-vous raser la barbe. »

En entendant parler de tonsure, Ysengrin se met à grogner. « Tant pis, fait-il, compère : rasez-moi donc bien vite. — Tout de suite, répond Renart, vous aurez une tonsure en couronne, et grande et large, dès que mon eau sera chauffée. »

Ici vous allez ouïr beau jeu. Renart mit de l'eau sur le feu et la fit bouillir à gros bouillons. Puis à la porte il revint et dit à son oncle de passer la tête par un guichet tout à côté. Ysengrin allonge le cou. Renart, qui le tient pour stupide, lui verse toute l'eau bouillante sur le crâne : vraiment il s'est conduit en méchante bête. Ysengrin secoue la tête, rechigne et fait triste mine. Il recule et s'écrie : « Renart, je suis mort! Qu'il vous arrive malheur aujourd'hui! Vous m'avez fait une trop large tonsure! » Renart lui tira la langue d'un bon demi-pied hors de la gueule. « Sire, vous n'êtes pas le seul à l'avoir, c'est celle de tout le couvent. »

---

1. Sorte de juron, de même que l'expression *par mon chapeau*, qui se rencontre aussi dans *le Roman de Renart*.

ANALYSE :

Renart annonce à Ysengrin que, selon la règle de l'ordre, sa première nuit de religieux doit être une nuit d'épreuve; il sort du château par une porte secrète et conduit le loup jusqu'à un vivier.

TRADUCTION :

C'était un peu avant Noël, au temps où l'on sale les porcs. Le ciel était clair, étoilé, et le vivier où Ysengrin devait pêcher[1] était si gelé qu'on aurait pu danser dessus; les vilains avaient pêché seulement ouvert dans la glace un trou où chaque jour ils menaient boire leurs bêtes. Ils avaient laissé auprès un seau; c'est là que vint Renart en toute hâte. Il regarda son compère : « Sire, fait-il, approchez par ici! L'endroit est riche en poissons et voici l'engin avec lequel nous pêchons les anguilles, les barbeaux et d'autres poissons bons et beaux. — Frère Renart, dit Ysengrin, prenez-le et attachez-le-moi bien à la queue! » Renart lui attache donc de son mieux le seau à la queue. « Frère, dit-il, il vous faut faire sage contenance pour que les poissons viennent. » Alors il alla se coucher près d'un buisson et, le museau allongé entre les pattes, attendit ce qui arriverait à l'autre. Ysengrin est sur la glace et le seau plonge dans le trou; de glaçons il s'emplit à volonté. L'eau en se gelant enserre le seau attaché à la queue et la scelle dans la glace. Notre loup songe à se soulever, à tirer le seau à lui. Il essaie de bien des façons, ne sait que faire, s'inquiète. Il commence à appeler Renart; impossible de se cacher maintenant, car l'aube déjà pointait. Renart releva la tête, ouvrit les yeux : « Frère, fait-il, quittez donc le travail; allons-nous-en, beau doux ami; nous avons assez pris de poissons. » Ysengrin lui cria : « Renart, il y en a trop! J'en ai tant pris que je ne sais comment faire. » Renart s'est mis à rire et lui a dit sans feindre devantage : « Qui convoite le tout perd le tout. » La nuit passe, l'aube perce, le soleil du matin se lève. Les chemins étaient tout blancs de neige. Messire Constant des Granges, un vavasseur[2] bien à son aise, qui demeurait près de l'étang, s'était levé, ainsi que sa maisonnée, en menant grande joie. Il saisit un cor, appelle ses chiens, fait seller son cheval; sa maisonnée pousse cris et huées. Renart entend, prend la fuite jusqu'à sa tanière, où il se

---

1. Rien n'a annoncé que l'épreuve d'Ysengrin consistait à pêcher dans le vivier; cette partie de la branche III a été mal raccordée à l'aventure des anguilles; 2. *Vavasseur* : tenancier d'arrière-fief, homme de petite noblesse.

tapit. Ysengrin resta sur place en bel embarras : de toutes
ses forces, il tire, il tire, au risque de se déchirer la peau.
Mais, s'il veut partir de là, il lui faudra renoncer à sa queue.

Tandis qu'Ysengrin se secoue, voilà qu'arrive au trot un
valet tenant deux lévriers en laisse; il voit le loup tout gelé
sur la glace, avec son crâne pelé, et il s'écrie : « Le loup!
le loup! au secours! au secours! » Les chasseurs, en l'entendant, sortirent de la maison avec tous leurs chiens. Alors
Ysengrin est en détresse : messire Constant venait le dernier sur un cheval au grand galop; il s'écrie : « Laisse, laisse
les chiens aller. » Les valets découplent les chiens, et les
braques s'élancent sur le loup. Ysengrin, tout hérissé, se
défend bien et les mord de ses crocs : il n'en peut mais, il
aimerait mieux la paix. Messire Constant a tiré l'épée, il
s'apprête à bien frapper. Il met pied à terre, et vient au
loup sur la glace. Il l'attaque par derrière; il veut le frapper,
mais il manque son coup. Il frappe de travers, et messire
Constant tombe en arrière : la nuque lui saigne. Il se relève
non sans peine. En colère il retourne à l'attaque : quelle
terrible guerre! Il crut frapper le loup à la tête, mais c'est
ailleurs que porte le coup. L'épée glisse vers la queue, et
la coupe rasibus, sans faute. Ysengrin se sent libre, saute
de côté et détale, mordant l'un après l'autre les chiens qui
le poursuivent et s'accrochent à sa croupe. Il a laissé sa
queue en gage. Le cœur lui crève de rage et de tristesse. Il
n'a plus qu'à fuir, il finit par grimper sur un tertre; les
chiens le mordent, et lui se défend bien. Une fois montés
sur le tertre, les chiens sont recrus de fatigue.

Vers le bois il fuit à grande allure; il y parvient et jure
qu'il se vengera de Renart et que jamais il ne l'aimera.

BRANCHE IV
(478 vers)

RENART ET YSENGRIN DANS LE PUITS

ANALYSE (vers 1-228) :

Renart, que tourmente la faim, aperçoit au sortir d'un bois une abbaye de Moines Blancs[1], dont la grange, pleine de gélines et de canards, est entourée d'un fossé profond. Il s'assied devant la porte, fort déconfit, et s'aperçoit que le guichet est entrouvert : il se glisse aussitôt dans la cour. Il craint un instant d'être surpris par les moines, mais la faim est plus forte que la peur, et il s'approche du poulailler, où il trouve trois gélines juchées sur une poutre; il les surprend en plein sommeil et les étrangle, en croque deux et emporte la troisième pour sa famille. Mais le repas lui a donné soif : en sortant, il avise un puits devant la porte; malheureusement il ne peut atteindre l'eau.

En se penchant, il aperçoit son image et croit voir sa chère Hermeline : il l'appelle; l'écho du puits lui répond. A chaque bout d'une corde passant sur une poulie était attaché un seau. Par mégarde, Renart met ses pieds de devant dans le seau qui était en haut; celui-ci descend tandis que l'autre remonte, et le goupil, fort penaud de sa méprise, se trouve soudain dans l'eau. Tandis qu'il se désespère, survient Ysengrin, que la faim a poussé aussi vers la grange des moines; mais lui n'a rien trouvé à manger et, tout marri, s'assied au bord du puits. En se penchant, il aperçoit Renard, puis voit dans l'eau sa propre image qu'il prend pour dame Hersent, son épouse, et, croyant qu'elle est venue là pour rejoindre Renart, il les interpelle avec violence.

TRADUCTION (vers 229-362) :

Tandis qu'Ysengrin se lamentait, Renart se tenait coi, et il le laissa bien hurler; puis il le héla : « Dieu! qui m'appelle? — Qui es-tu? Parle, dit Ysengrin. — Mais je suis votre bon voisin, et je fus jadis votre compère; vous m'aimiez mieux que votre frère. On m'appelle à présent feu Renart, celui qui savait tant de ruses et de tours. — J'en suis fort aise, dit Ysengrin; et depuis quand es-tu donc mort, Renart? » Et l'autre lui répondit : « Depuis avant-hier. Il ne faut pas qu'on s'étonne de ma mort : tous ceux

---

1. Bénédictins de l'ordre de Cîteaux.

qui sont en vie mourront aussi. Ils devront trépasser le
jour que Dieu voudra. Et voici que Notre Seigneur attend
mon âme, lui qui m'a arraché à cette vie d'enfer. Je vous
prie, mon cher beau compère, de me pardonner le chagrin
que je vous ai naguère causé. » Ysengrin dit : « Oui, j'y
consens. Que tout vous soit donc pardonné, compère, ici
et devant Dieu. Mais je m'afflige de votre mort. » Et Renart :
« Moi je m'en réjouis. — Tu t'en réjouis ? — Oui, vraiment,
par ma foi. — Dis-moi pourquoi, beau compère. — C'est
que mon corps gît dans sa bière à Malpertuis, chez Hermeline, et que mon âme se trouve en Paradis, assise aux pieds
de Jésus : compère, j'ai tout ce que je veux et j'ai renoncé
à toute pensée d'orgueil. Tu es dans le royaume terrestre,
et moi au Paradis du Ciel. Ici sont les guérets, les bois, les
plaines, les prairies; ici sont les grandes richesses; ici
foisonnent génisses, chèvres, brebis, lièvres, bœufs, vaches,
moutons, éperviers, faucons, autours. » Ysengrin jure saint
Sylvestre qu'il voudrait bien être là. Mais Renart dit :
« N'y pensez plus, vous ne pouvez pas entrer ici : le Paradis
est un séjour céleste qui n'est pas ouvert à tous. Tu as toujours été fourbe, félon, traître et trompeur. Tu n'as pas eu
confiance en moi : jamais je n'ai offensé ta femme. Tu dis
que j'ai outragé tes fils : jamais je n'y ai pensé. Par le Seigneur qui me fit naître, je viens de te dire la vérité. — Je
vous crois, dit Ysengrin, et en bonne foi je ne vous en veux
pas. Mais faites-moi entrer. — N'y pensez plus, dit Renart.
Nous n'aimons pas le tapage ici. Voyez-vous ce plateau de
balance ? »

Seigneurs, écoutez une ruse merveilleuse. Du doigt
Renart lui montre le seau. Il est assez habile pour lui faire
vraiment croire qu'il voit là les plateaux du bien et du
mal. « Par le Père spirituel, la toute-puissance de Dieu
est telle que, quand le bien est très pesant, il descend ici-
bas et que tout le mal reste en haut. Mais nul ne pourrait
en aucun cas descendre ici sans s'être confessé, je te l'affirme. As-tu avoué tes péchés ? — Oui, fait-il, à un vieux
lièvre et à dame H... la chèvre, fort bien et fort saintement.
Compère, mettez plus de hâte à me faire entrer. » Renart
jette un regard sur lui : « Il vous faut à présent prier Dieu
et le remercier dévotement de vous donner le vrai pardon
et la rémission de vos péchés : ainsi vous pourrez entrer
ici. »

Ysengrin ne voulut pas tarder davantage : il tourna le derrière vers l'Orient et la tête vers l'Occident[1], et il se mit à donner de tout son organe et à lancer des hurlements déchirants. Renart, le maître des bons tours, était en bas dans l'autre seau, au fond du puits, par malchance fort grande! Ysengrin trouvait le temps long : « J'ai prié Dieu, dit-il. — Et moi, dit Renart, je lui ai rendu grâces. Ysengrin, vois-tu ces merveilles, les cierges qui brûlent devant moi? Jésus t'accordera vrai pardon et gentille rémission. » Ysengrin l'entend : il tâche de tirer le seau vers la margelle, à pieds joints saute dedans. Et, comme il est le plus lourd, il descend vers le fond. Ils se sont croisés au milieu du puits; Ysengrin a interpellé Renart : « Compère, pourquoi t'en vas-tu? » Et l'autre lui a répondu : « N'en montrez ni dépit ni mauvaise humeur, je vais vous rappeler la coutume : quand l'un s'en va, l'autre arrive; c'est la coutume. Je vais au Paradis, là-haut, et toi en Enfer, en bas. J'ai échappé au diable et tu vas à ton tour chez les démons. Tu es tombé dans une grande détresse, et je m'en suis tiré. Par Dieu, le Père spirituel, c'est en bas la maison des diables. »

ANALYSE (vers 363-478) :

Sur ces mots, Renart s'échappe tandis qu'Ysengrin est à son tour pris au piège. Dans la matinée, le cuisinier de l'abbaye vient tirer de l'eau avec trois compagnons et un âne. Attelé à la poulie du puits, l'âne tire de toutes ses forces, mais le seau trop lourd ne monte pas. C'est alors qu'un moine se penche et aperçoit le loup : tous courent donner l'alarme. L'abbé s'élance avec une massue, le prieur avec un chandelier, les autres moines avec des bâtons. Ils aident l'âne à tirer le seau, qui finit par atteindre le bord. Ysengrin bondit, mais les chiens déchirent sa pelisse et les moines le rouent de coups : il fait le mort. Tous s'en retournent au couvent. Ysengrin s'enfuit, et réussit à se traîner sous un buisson sans avoir la force d'aller plus loin. Son fils vient à passer, apprend la nouvelle trahison de Renart et promet à Ysengrin de le venger. Puis il va chercher des médecins qui finissent par guérir le loup.

---

1. Contrairement au rite chrétien.

BRANCHE XIV
(1 088 vers)

RENART ET TIBERT DANS LE CELLIER
LES MÉSAVENTURES DE PRIMAUT

ANALYSE :

TIBERT PERD SA QUEUE (vers 1-202) :

Renart et Tibert sont entrés dans un cellier, dont la huche renferme un grand pot de lait. Tandis que le goupil soulève le lourd couvercle, le chat saute dans la huche et, sans écouter les plaintes de son compère, boit tout son soûl, puis renverse le pot dont le contenu se répand. Mais au moment où le perfide bondit pour sortir, le couvercle retombe et lui coupe la queue. Tibert fait de violents reproches à Renart qui proteste de son innocence et cherche à le consoler. Tous deux vont alors au poulailler où Tibert prend sa revanche : il conseille au goupil de saisir le coq, qui se met à crier. Le vilain accourt avec ses chiens. Tibert s'est déjà esquivé ; Renart, assailli par les mâtins, leur échappe à grand-peine.

PRIMAUT CHANTE LES VÊPRES À L'AUTEL (vers 203-586) :

Dans sa fuite, le goupil aperçoit des hosties perdues par un prêtre, et les dévore toutes, sauf deux qu'il emporte dans sa bouche. Il rencontre le loup Primaut, frère d'Ysengrin, qui lui demande ce qu'il tient là. « Ce sont des gâteaux de moutier », répond Renart, qui consent bientôt à les lui donner, puis lui propose d'aller en chercher d'autres. Les deux compères vont au moutier, creusent un trou sous le seuil, entrent et découvrent l'armoire aux hosties. Primaut se régale. Il trouve ensuite une huche remplie de pain, de vin, de victuailles : tous deux s'installent, mangent et boivent. Renart cherche à enivrer son compagnon : le vin monte à la tête du loup qui, mis en joie, manifeste le désir de chanter les vêpres à l'autel. Ravi de sa sottise, le goupil, sous prétexte de l'ordonner prêtre, tond Primaut jusqu'aux oreilles, puis l'invite à sonner les cloches. Le loup secoue les cordes avec entrain, sonne glas et carillon, encouragé par Renart, qui rit sous cape. Enfin, le nouveau prêtre monte à l'autel, revêt l'aube et la chasuble, tourne gravement les feuilles du missel. Renart, quelque peu inquiet, sort furtivement et rebouche le trou par lequel ils sont entrés.

Primaut à l'autel crie, hurle. Le prêtre, qui a entendu sonner les cloches, se lève et accourt; par une fente de la porte, il aperçoit le loup et donne l'alarme. Les vilains s'arment de massues, entrent dans le moutier. Primaut, se voyant pris, court au trou et le trouve bouché; éperdu, il arrache ses vêtements, avise une fenêtre ouverte, fait un bond à se rompre le cou et s'enfuit ventre à terre. Il rencontre Renart à qui il reproche de l'avoir enfermé. Le goupil s'en défend, et réussit à lui faire croire que c'est le prêtre qui a rejeté la terre dans le trou avant d'ouvrir la porte.

PRIMAUT ET LES POISSONNIERS (vers 587-646) :

Toujours affamé, Primaut se remet en chasse et cherche à duper des poissonniers, grâce au stratagème que lui a enseigné Renart[1]; moins heureux que le goupil, il se fait rouer de coups et doit fuir le ventre creux.

PRIMAUT ET LES JAMBONS; PRIMAUT ET LES OIES (v. 647-898) :

Pour le réconforter, Renart le mène à une ferme où il sait trouver trois jambons salés : les deux larrons franchissent un étroit pertuis et s'attaquent aux jambons. Le repas terminé, le goupil sort le premier; mais, à force d'avaler, Primaut a tant grossi que le pertuis n'est plus assez large pour son ventre. Renart le saisit par les oreilles, le secoue en tous sens, lui met une corde au cou pour mieux tirer, mais ne réussit qu'à lui retourner la peau jusqu'à la nuque. Au cri du loup, le vilain s'éveille et accourt; le goupil s'esquive; le loup se jette sur le vilain, le mord cruellement et rejoint triomphalement Renart.

Le goupil lui parle d'oies gardées, non loin de là, par un seul paysan : Primaut court à l'endroit désigné, se fait houspiller par deux chiens et leur échappe à grand-peine.

PRIMAUT PRIS AU PIÈGE (vers 899-1088) :

Cette fois, le loup se fâche et reproche au goupil de l'avoir trompé; il le frappe au visage, le foule aux pieds, puis, touché par ses prières et inquiet de ses menaces, consent à lui pardonner et à lui jurer une éternelle amitié. Renart l'invite à prêter serment sur le tombeau d'un saint ermite. Mais ce tombeau n'est qu'un piège : en s'appuyant, le loup fait jouer la clef et reste pris par le pied. « Tu es parjure, lui dit Renart, et c'est le corps du saint qui te retient. » Il le laisse là et regagne Malpertuis.

---

1. Allusion à la branche III.

BRANCHE I

(1 620 vers)

LE JUGEMENT DE RENART

ANALYSE (vers 1-10) :

L'auteur de cette branche reproche à son maître, Perrot[1], de n'avoir point parlé du jugement de Renart en la cour de Noble, ce qui était pourtant l'essentiel du sujet.

LA PLAINTE D'YSENGRIN

TRADUCTION (vers 11-102) :

L'hiver était passé; la rose s'épanouissait et l'aubépine fleurissait, et l'Ascension était proche, quand sire Noble le lion fit venir dans son palais toutes les bêtes pour tenir cour plénière. Nul ne fut assez hardi pour s'abstenir en aucun cas d'y venir au plus vite, hormis le seul dom Renart, le voleur rusé, le trompeur, que les autres accusent devant le roi en dénonçant son orgueil insensé. Ysengrin, qui ne l'aime pas, se plaint devant tous et dit au roi : « Beau gentil sire, faites justice de la conduite qu'il eut envers mon épouse, dame Hersent, et des outrages qu'il fit à mes louve-teaux : j'en ai toujours autant de chagrin. Renart fut assigné pour jurer qu'il était innocent; mais, quand les reliques furent apportées, il se retira vite en arrière — je ne sais sur quel conseil — et se replia dans sa tanière, ce dont j'eus un grand courroux. » Le roi lui répond en présence de tous : « Ysengrin, laissez cela. Vous n'avez rien à gagner à rappeler votre honte. Jamais pour un si petit dommage je ne vis montrer tant de chagrin ni de fureur. Certes, ces choses-là sont telles qu'il vaut mieux n'en point parler. » Brun l'ours dit : « Beau gentil sire, il y a peut-être mieux à dire. Ysengrin n'est ni mort ni prisonnier, et, si Renart lui manque de respect, il peut en tirer vengeance. Ysengrin est si puissant que, si son voisin Renart n'observait point la paix qui fut récemment jurée, il serait de taille à lui résister. Mais vous êtes prince de la terre : mettez fin à cette guerre, et faites

---

1. Petit Pierre, c'est-à-dire sans doute Pierre de Saint-Cloud.

régner la paix entre vos barons ; nous haïrons qui vous haïrez et nous vous resterons fidèles. Si Ysengrin se plaint de Renart, mettez-le en jugement : c'est le mieux que je puisse dire. Si l'un doit quelque chose à l'autre, qu'il s'acquitte et vous paie l'amende du délit. Envoyez-moi chercher Renart à Malpertuis : je l'amènerai, si je le trouve, et lui apprendrai à vivre. — Sire Brun, dit Bruyant le taureau, malheur à qui viendra — je ne parle pas pour vous — conseiller au roi de punir Renart d'une simple amende pour l'outrage fait à Ysengrin. Renart a tourmenté et dupé tant de gens que nul ne doit plus le défendre. Pour moi, si ce trompeur m'avait offensé, ni Malpertuis ni forteresse ne m'aurait empêché de le jeter dans un bourbier. »

ANALYSE (vers 103-266) :

Grimbert le blaireau s'en prend à Ysengrin : à son avis, Renart n'a pas enfreint la trêve et s'est montré parfaitement courtois. Dame Hersent déclare à son tour que l'attitude de Renart à son égard a toujours été correcte ; elle-même n'a rien à se reprocher ; c'est la jalousie d'Ysengrin et sa haine pour Renart qui ont provoqué ce débat. Bernard l'âne, touché par les nombreux serments de la louve, fait appel à la clémence du roi : Renart paiera toutefois une amende pour n'être pas venu à la cour. Le conseil voudrait une punition exemplaire, mais Noble refuse de le suivre. Ysengrin, toujours courroucé, jure de faire à Renart une guerre acharnée. Le roi l'envoie au diable : le goupil, par sa ruse, sera toujours plus fort que le loup ; d'ailleurs, la paix est jurée, et malheur à qui la troublera !

FUNÉRAILLES D'UNE VICTIME DE RENART
(vers 267-432).

Quant Isengrins oï* le roi	*entendit
Qui de la pais prenoit conroi*,	*prenait des dispositions
Moult fu dolenz, ne set que faire,	
270 Ne* n'en set mais a quel chief traire[1].	*ni
A la terre entre dous* eschames**	*deux **escabeaux
S'assiét, le coe* entre les james**.	*la queue **jambes
Or est Renart bien avenu,	
Se Dieus li eüst porveü[2] :	
275 Qu'*'en tel point avoit pris li rois	*car
L'acorde*, mal gré as irois**,	*accord **mécontents

---

1. A quel personnage s'adresser, à quel saint se vouer ; **2.** L'affaire tournait bien pour Renart, si Dieu y avait pourvu.

Que ja preïst* la guerre fin   *aurait pris
Entre Renart et Isengrin,
Se ne fust Chantecler et Pinte,
280 Qui a la cort venoit soi quinte[1]
Devant le roi de Renart plaindre.
Or est li feus griés* a esteindre;   *difficile
Car sire Chantecler li cos*   *coq
Et Pinte qui pont les ues* gros,   *œufs
285 Et Noire et Blanche et la Rossete
Amenoient une charete
Qui envousse* ert d'une cortine**.   *bâchée **rideau
Dedenz gesoit une geline*   *poule
Que l'on amenoit en litiere
290 Faite autressi* come une biere.   *tout à fait
Renarz l'avoit si mal menee
Et as denz* si desordenee**   *avec les dents **mal-
    traitée
Que la cuisse li avoit fraite*   *brisé
Et une ele hors del cors traite*.   *arraché
295   Quant li rois ot jugié assez,
Qui del plaidier estoit lassez,
Es* les gelines maintenant,   *voilà
Et Chantecler paumes batant.
Pinte s'escrie premeraine*,   *la première
300 Et les autres a grant aleine :
« Por Dieu », dit ele, « gentil' bestes,   *dit elle
Et chien et lou, teus con vos estes,
Car* conseilliez ceste chaitive[2]!   *donc
Mout hé l'ore* que je sui vive.   *je hais l'heure
305 Mort, car me pren, si t'en delivre*,   *hâte-toi
Quant Renarz ne me laisse vivre!
Cinc freres oi*, toz de mon pere :   *j'eus
Tos les manja Renarz li lere*;   *larron
Ce fu grant perte et grant dolors.
310 De par ma mere oi cinc serors*,   *sœurs
Que virges poles, que meschines[3];
Mout i avoit beles gelines.
Gomberz del Fraisne[4] les paissoit*,   *nourrissait
Qui de pondre les angoissoit*.   *pressait
315 Li las*! mal les i encraissa,   *le malheureux

---

1. Elle cinquième (trois autres poules les accompagnant, dont les noms sont cités plus bas); **2.** La malheureuse que je suis; **3.** Tant jeunettes que déjà grandes (*meschine* : jeune fille); **4.** Gombert du Frêne (nom du fermier).

Car onc Renarz ne l'*en laissa   *lui
De totes cinc que une sole;
Totes passerent par sa gole*.   *gueule
Et vos qui la gesiez* en biere,   *gisez
320 Ma douce suer, m'amie chiere,
Con vos estiiez tendre et crasse*!   *grasse
Que fera vostre suer la lasse*   *malheureuse
Qui a nul jor ne vos regarde[1]?
Renarz, la male flambe* t'arde!   *flamme
325 Tantes foiz* nos avez folees**,   *tant de fois   **mal-traitées
Et chaciees et tribolees*,   *tourmentées
Et desciriees noz pelices,
Et embatues* dusqu'as lices**!   *pourchassées   **clôture
Ier par matin devant la porte
330 Me jeta* il ma seror morte,   *abattit
Puis s'en fuï par mi un val.
Comberz n'ot pas isnel* cheval,   *rapide
Ne nel* peüst a pié ataindre.   *et ne le
Je me voloie[2] de lui plaindre,
335 Mais je ne truis* qui droit m'en face,   *trouve
Car il ne crient* autrui menace,   *craint
N'autrui corroz* vaillant dous soles[3]. »   *courroux
Pinte la lasse* a cez paroles   *malheureuse
Cheï pasmee el pavement*,   *pavé
340 Et les autres tot ensement*.   *pareillement
Por relever les quatre dames
Se leverent de lor eschames*   *escabeaux
Et chien et lou et autres bestes,
Aive* lor jetent sour les testes.   *eau

ANALYSE (vers 345-384) :

Noble le lion manifeste une terrible colère et promet à dame Pinte de châtier le crime de Renart.

Quant Isengrin oï* le roi,   *entendit
385 Isnelement* en piez se dresse :   *vivement
« Sire, fait il, c'est grant proece.
Mout en serez par tot loez
Se vos Pinte vengier poez*   *pouvez

---

1. Qui jamais plus ne vous verra; **2.** *Voloie* compte pour trois syllabes; **3.** *Sole* : semelle. Le texte de l'édition Martin donne *foles*, dont le sens n'est guère satisfaisant; la leçon *soles* est assurée par plusieurs manuscrits. Autres variantes : *foilles, fuelles, fioles.*

Et sa seror dame Copee,
390 Que Renarz a si esclopee*.   *mutilée
Je nel di mie por haïne :
Ainçois* le di por la meschine**   *plutôt **jeune femme
Qu'il a morte* que je ne face   *tuée
Por chose que* je Renart hace**. »   *pour la raison que
                                              **haïsse
395 Li emperere dit : « Amis,
Il m'a mout grant duel el cuer mis.
Mais or parlons d'autre parole.
Bruns li ors, prenez vostre estole,
Si comandez l'ame del cors[1].
400 Et vos, sire Bruianz li tors*,   *taureau
La sus*, en mi cele couture**   *là-haut **champ
Me faites une sepouture.
— Sire, dit Brunz, vostre plaisir. »
A tant* vait l'estole saisir,   *aussitôt
405 Et non mie tant solement[2];
Et li rois al comandement
Et tuit li autre del concile*   *conseil
Ont comenciee la vigile*.   *veillée
Sire Tardis li limaçons
410 Lut par lui sol les trois leçons,
Et Roenaus* chanta les vers**,   *Roënel **versets
Et il et Brichemers li cers.
    Quant la vigile fu chantee
Et ce vint a la matinee,
415 Le cors porterent enterrer.
Mais ainz* l'orent fait enserrer**   *auparavant **enfer-
En un mout bel vaissel de plon*;   mer
Onques plus bel ne vit nus on.   *cercueil de plomb
Puis l'enfoïrent soz un arbre,
420 Et par dessus mirent un marbre,
S'i ont escrit le nom la dame
Et sa vie, et comandent l'ame[3].
Ne sai a cisel o a grafe[4]
I ont escrit en l'epitafe :
425 DESSOZ CEST ARBRE, EN MI CE PLAIN[5],
GIST COPEE, LA SUER PINTAIN[6].
RENARZ, QUI CHASCUN JOR EMPIRE,

---

1. Recommandez (à Dieu) l'âme de la morte; **2.** Et pas seulement l'étole;
3. Recommandent l'âme à Dieu; **4.** Je ne sais si ce fut au ciseau ou au burin;
5. Au milieu de cette plaine; **6.** *Pintain* : cas régime de Pinte.

EN FIST AS DENZ SI GRANT MARTIRE.
Qui lors veïst Pintain plorer,
430 Renart maudire et devorer*,   *maudire
Et Chantecler les piez estendre,
Mout grant pitié l'en peüst prendre.

BRUN L'OURS VA CHERCHER RENART

TRADUCTION (vers 433-720) :

Quand la douleur fut un peu calmée et que le deuil eut pris fin, les barons dirent : « Empereur, vengez-nous donc de ce larron, qui nous a joué tant de tours et qui si souvent a rompu la paix. — Bien volontiers, dit l'empereur. Brun, beau doux frère, allez donc le chercher, n'ayez aucun égard pour lui et dites-lui de ma part que je l'attends depuis trois jours entiers. — Sire, bien volontiers », dit Brun. Il se met aussitôt en route, à l'amble, par la pente d'un champ, sans s'asseoir ni se reposer.

Or, pendant que Brun s'en allait, il advint à la cour une merveille funeste à la cause de Renart : messire Couart le lièvre, qui, de peur, avait pris les fièvres (depuis deux jours il en tremblait), les perdit, grâce à Dieu, sur la tombe de dame Copée. Quand on l'avait enterrée, il n'avait pas voulu partir sans avoir dormi sur la sépulture de la martyre. Et quand Ysengrin apprit que c'était une vraie sainte, il dit qu'il avait mal à l'oreille, et Roënel lui conseilla de se coucher sur la tombe : alors il se déclara guéri[1].

Quand la nouvelle vint à la cour, certains la trouvèrent bonne, mais Grimbert la jugea mauvaise, lui qui avait parlé et plaidé pour Renart avec Tibert le chat : à présent, si Renart est pris, le voilà mal en point, s'il n'invente une ruse. Brun l'ours est déjà parvenu à Malpertuis, après avoir traversé tout le bois en suivant un sentier. Mais, comme il est trop gros, il doit rester au dehors : il s'arrête devant la barbacane[2]. Renart, qui attrape tout le monde, se reposait au fond de sa tanière. Il s'était pourvu d'une grosse et grasse géline, et le matin il avait mangé deux belles cuisses de poulet. Voici justement Brun à la herse. « Renart, fait-il, venez me parler ! Je suis Brun, messager du roi. Sortez d'ici, venez dans cette lande, et vous apprendrez ce que vous

---

1. Mais si ce n'avait été un article de foi, dont nul ne doit douter, et si Roënel n'avait pas témoigné, la cour aurait cru à un mensonge d'Ysengrin;
2. *Barbacane* : ouvrage avancé servant à défendre une porte ou un pont.

mande le roi. » Renart sait bien que c'est l'ours, il l'a reconnu à sa stature; il se demande comment il pourra répliquer :

« Brun, fait Renart, beau doux ami, celui qui vous a fait descendre ici vous a fait prendre beaucoup de peine. J'étais tout prêt à partir, mais je voulais auparavant me régaler d'un bon plat français. Car, sire Brun, ne l'ignorez pas, à la cour on invite le riche à passer à table, dès son arrivée : « Sire, dit-on, venez vous lavez les mains. » (Heureux, qui pour l'aider lui tient ses manches!) On lui sert d'abord le bœuf au verjus, et puis les autres mets de son goût. Mais le pauvre dépourvu, excrément de l'enfer, n'est assis ni au feu ni à table. Il mange sur ses genoux. Les chiens l'entourent et lui arrachent le pain des mains. Quand les pauvres boivent un coup, ce n'est pas du meilleur, et ils n'auront à boire qu'une fois et ne goûteront que d'un plat. Les garçons leur jettent leurs os, tout secs. Chacun garde son pain en son poing. Sénéchaux et cuisiniers ont tous été frappés au même coin : ils ont en abondance les biens dont leurs seigneurs sont pourvus. Les voleurs! Puissent-ils être brûlés vifs, et leurs cendres jetées au vent! Ils dérobent à leurs maîtres viandes et pains pour les envoyer à leurs amies. Voilà pourquoi, beau sire, j'avais dès midi déjeuné de lard et de pois; et j'ai bien mangé encore pour sept deniers de miel nouveau en rayons frais. — *Nomini Dame, Christum file*[1] dit l'ours, par le corps de saint Gilles, où trouvez-vous tant de miel? En ce monde, c'est ce que préfère mon pauvre ventre. Menez-moi donc là-bas, très doux sire. » Renart lui tire la langue, content de l'avoir si vite dupé, mais le malheureux n'y voit rien, et l'autre le mène par le bout du nez. « Brun, dit Renart, si je savais trouver en vous loyauté et amitié, foi que je dois à mon fils Rovel, je vous remplirais aujourd'hui le ventre de ce bon miel, frais et nouveau : il suffit d'entrer dans le bois de Lanfroi le forestier. Mais à quoi bon? C'est inutile, car, si j'y allais avec vous et si je m'épuisais pour vous complaire, j'en serais mal récompensé. — Qu'avez-vous dit, sire Renart! Vous vous méfiez donc? — Oui. — De quoi? — Ça, je le sais : de votre trahison, de votre félonie. — Renart, c'est le diable qui vous pousse à me calomnier ainsi. — Non pas; mais n'importe! Je ne vous en veux pas du tout. — Croyez-le bien, sur l'hommage que je rendis à Noble le lion, je n'ai jamais eu

1. Latin écorché.

l'intention de vous tromper, de vous trahir, d'être fourbe envers vous. — Je n'en veux pas d'autre assurance et m'en remets à votre loyauté. » Aussitôt ils se mettent en route. Ils vont à bride abattue jusqu'à ce qu'ils arrivent au bois de Lanfroi le forestier : là leurs destriers s'arrêtent[1]. Lanfroi avait commencé à fendre un chêne, où il avait enfoncé deux coins. « Brun, beau doux ami, fait Renart, voilà ce que je t'ai promis. Le miel est là-dedans. Mange d'abord, et puis nous irons boire. Tu as bien trouvé ce que tu désirais. » Et Brun enfonce dans le chêne son museau et ses deux pattes de devant; et Renart lui donne un coup d'épaule; puis il s'écarte un peu et l'encourage : « Croquant, fait-il, ouvre la bouche! Ton museau entre à peine. Allons, mon fils, ouvre ta gueule. » Il le bafoue et le berne à plaisir. C'est bien le diable si l'ours eût jamais aspiré une goutte : il n'y avait ni miel ni ruche. Pendant que Brun reste la gueule ouverte, Renart empoigne les coins et les enlève à grand-peine. Et, une fois les coins retirés, le mufle de Brun reste pris dans le chêne. Le pauvre est mal loti.

Et Renart (puisse-t-il être excommunié, car il ne fut jamais charitable!) prend du large et le raille. « Brun, fait-il, je savais bien que vous cherchiez quelque ruse pour m'empêcher de goûter au miel [...] Ah! vous me soigneriez bien et je n'aurais rien à craindre, si je me trouvais malade! Vous ne me laisseriez que poires blettes! » Or, à ces mots, survient Lanfroi le forestier, et Renart s'enfuit à toutes jambes. Quand le vilain voit Brun l'ours pris dans le chêne qu'il voulait fendre, il court à la ferme en toute hâte. « Haro! haro! fait-il, à l'ours! Cette fois nous le tenons bien. » Il fallait voir alors les vilains venir et fourmiller dans le bocage! L'un porte une massue, l'autre une hache, celui-ci un fléau, celui-là un bâton d'épine. Brun a grand-peur pour son échine. En entendant venir cette troupe enragée, il frémit et se dit en lui-même qu'il vaut mieux perdre le museau qu'être pris par Lanfroi, qui vient devant tous les autres avec une hache. Il tire, tire (sa peau s'arrache, ses veines éclatent), si fort qu'il se fend le cuir et se met la tête en bouillie. Il a perdu beaucoup de sang, le cuir du crâne et des pattes. Jamais on ne vit bête si laide. Une pluie de sang lui coule du museau; de toute la peau de sa face, on ne ferait

---

1. Tous les héros du roman sont à cheval, même le lièvre : G. Paris dénonce cet « anthropomorphisme excessif ».

pas une bourse. Ainsi le fils de l'ourse s'en va, s'en va
fuyant par le bois, et les vilains le poursuivent de leurs huées :
Bertot, le fils de sire Gilles, et Hardouin Coupe-Vilain, et
Gombert, et le fils de Galon, et dom Helin, le neveu de
Faucon, et Otran, comte de l'Anglée, qui avait étranglé
sa femme, et Tyégier, le fournier[1] du village, qui épousa la
noire Cornille, et Aymer Brise-Faucille, et Rocelin, le fils
de Bancille, et le fils d'Oger de la Place, qui tenait une
hache au poing, et messire Hubert Grosset, et le fils de
Faucher, Galopet[2].

Terrifié, l'ours prend la fuite. Et le curé de la paroisse,
qui revenait d'étendre son fumier, le frappe sur les reins
d'un bon coup de la fourche qu'il tenait en main. Il faillit
l'abattre et le blessa grièvement. Celui qui fait les peignes
et les lanternes le coince entre deux chênes, et d'une corne
de bœuf lui brise à moitié l'échine. Les coups de massue
tombent si dru sur l'ours qu'il s'échappe à grand-peine.
S'il peut attraper Renart, c'en est fait du goupil. Mais ce dernier, en l'entendant de loin crier, a bien vite pris le chemin
de Malpertuis, sa forteresse, où il ne craint attaque ni sur-
prise. Quand Brun vient à passer par là, Renart lui lance
des sarcasmes. « Brun, dit-il, vous êtes bien avancé d'avoir
mangé sans moi le miel de Lanfroi! Votre mauvaise foi
vous portera malheur, et vous mourrez sans prêtre auprès
de vous. De quel ordre voulez-vous être, que vous portez
chaperon rouge ? »

L'ours éperonne tant son destrier qu'à midi sonnant il
arrive dans la carrière où le lion tenait cour plénière. Il
tombe pâmé sur le dallage. Le sang lui couvre toute la face
et il a perdu ses oreilles. Toute la cour s'en étonne. Le roi
dit : « Brun, celui qui t'a fait cela t'a arraché ton chapeau
bien vilainement. » Brun a perdu tant de sang qu'il n'a plus
la force de parler. « Roi, c'est Renart qui m'a mis dans l'état
où vous me voyez. » Puis il va tomber aux pieds du lion.

LA MÉSAVENTURE DE TIBERT

ANALYSE (vers 721-921) :

Noble, furieux, dépêche à Malpertuis Tibert le chat : le goupil
reçoit courtoisement le messager du roi et l'invite à venir se régaler

---

1. *Fournier :* boulanger; **2.** Énumération épique, et volontairement hétéro-
clite, dans une intention de parodie.

de souris chez un curé. Tibert suit Renart sans défiance... et se prend dans un lacet. Assommé par le prêtre, il parvient à fuir et court se plaindre au lion.

GRIMBERT LE BLAIREAU AMÈNE RENART À LA COUR

ANALYSE (vers 922-1212) :

Le lion, dans son courroux, s'en prend à Grimbert et lui ordonne de ramener le goupil; le blaireau demande une lettre scellée du sceau royal. Après un long voyage, il franchit la première enceinte de Malpertuis où Renart, d'abord inquiet, lui fait, dès qu'il l'a reconnu, un accueil très cordial. Grimbert commence par manger, puis, après avoir dit à Renart que sa fourberie le perdra, lui remet la lettre du roi. Renart lit en tremblant cette lettre où on lui promet de le pendre, et songe à se réfugier chez des moines. Grimbert l'en dissuade et s'offre à l'ouïr en confession. Renart avoue ses péchés : il a gravement offensé Ysengrin, et en demande pardon à Dieu; il reconnaît avoir dupé Tibert, dévoré la famille de Pinte; il se repent amèrement. Grimbert lui donne l'absolution. Au matin, Renart embrasse sa femme et ses fils, les prie de bien garder son château et les recommande à Dieu. Enfin, au départ, il implore le secours du Ciel contre ses ennemis. Tout en chevauchant, Renart et Grimbert passent près d'une abbaye dont le goupil guigne les volailles : le blaireau l'appelle hérétique et parjure, et le ramène, non sans peine, dans la bonne voie. Les deux barons arrivent à la cour, où Ysengrin, Brun et Tibert ruminent leur vengeance. Mais Renart, la tête haute, prend la parole.

RENART PRÉSENTE SA DÉFENSE AU ROI

TRADUCTION (vers 1213-1278) :

« Roi, dit Renart, je vous salue, moi qui vous ai mieux servi que tout autre baron de l'empire. Ceux qui vous disent du mal de moi ont tort. Sans doute est-ce par malchance que je n'ai jamais été sûr de votre affection un jour entier. J'ai quitté la cour récemment, en plein accord avec vous. Mais les jaloux qui veulent se venger de moi ont tant fait que vous m'avez mal jugé. Sire, quand un roi s'acharne à croire les mauvais larrons et abandonne ses bons vassaux, préférant à la tête la queue, alors tout va mal sur terre. Ceux qui sont serfs par nature ne savent observer la mesure. Peuvent-ils s'élever à la cour ? ils s'efforcent de nuire aux autres; ils poussent au mal, car ils savent en tirer profit : ils empochent les biens d'autrui! Je voudrais savoir de quoi Brun et Tibert m'accusent. Sans doute, si le roi l'ordonne, peuvent-ils me noircir. Mais je ne suis pas coupable : ils ne sauraient donner leurs raisons. Si Brun a mangé le miel de Lanfroi et si le vilain l'a battu, pourquoi ne s'est-il pas vengé sur lui ? Il a pourtant de grandes mains et de grands pieds, de gros mollets et de grosses pattes. Si messire Tibert le chat, pour avoir mangé les rats et les souris, fut pris et humilié, est-ce ma faute ? Je ne sais que dire d'Ysengrin : car il est vrai que j'ai aimé sa femme. Mais puisqu'elle ne s'en est pas plainte, suis-je félon envers elle ? Le pauvre fou en est jaloux : est-il juste qu'on me pende pour cela ? Non Sire, Dieu m'en garde ! Grande est Votre Majesté. La foi, la grande loyauté que j'ai toujours eues envers vous, voilà ce qui m'a sauvé la vie. Mais, foi que je dois à Dieu et à saint Georges, j'ai la gorge toute blanche. Je suis vieux, je ne puis me défendre et ne me soucie plus de plaider. C'est péché que de me faire venir à la cour. Mais, puisque mon seigneur le commande, il est juste que j'y vienne. Me voici devant lui, qu'il me fasse arrêter, qu'il me fasse brûler ou pendre : car je ne puis me défendre devant lui. Je ne suis pas un puissant personnage, mais ce serait triste justice, et si l'on me pendait sans jugement, bien des gens en parleraient. »

RENART EST CONDAMNÉ À LA POTENCE

ANALYSE (vers 1279-1350) :

Le roi maudit Renart : il sait bien parler, mais, s'il ne se justifie pas, il va être puni. Aussitôt se dressent et crient à qui mieux mieux Ysengrin, Belin le mouton, Tibert, Roënel, Tiécelin, Chantecler et Pinte, Épinard le hérisson, Petitpas le paon, Frobert le grillon, Rousseau l'écureuil et Couart le lièvre. Mais le roi les fait taire et demande comment il faut punir Renart. Les barons proposent qu'on le mette en croix. Le roi ordonne qu'on le pende immédiatement.

RENART SE FAIT PÈLERIN

TRADUCTION (vers 1351-1462) :

Au sommet d'une colline, sur un rocher, le roi ordonne qu'on dresse le gibet pour pendre Renart le goupil : le voilà en grand danger. Le singe lui fait une grimace et le frappe à la joue. Renart regarde derrière lui et les voit venir en foule. L'un le tire, l'autre le pousse : rien d'étonnant qu'il ait peur. Couart le lièvre lui jette des pierres de loin, sans approcher. Ainsi lapidé par Couart, Renart secoue la tête : Couart en fut si éperdu que depuis il a disparu ; ce simple signe l'épouvante. Alors il s'est caché dans une haie : de là, dit-il, il verra bien comment l'on fera justice du coupable. Vainement il s'y cacha, je crois, car il connaîtra encore la peur. Renart est bien embarrassé : il est lié et tenu de tous côtés. Mais il ne put trouver de ruse pour s'échapper. Rien à faire pour s'en tirer, à moins d'une astuce extraordinaire.

Quand il vit dresser le gibet, Renart en fut très affligé et dit au roi : « Beau gentil sire, laissez-moi donc un peu parler. Vous m'avez fait saisir et enchaîner et vous voulez me pendre malgré mon innocence. J'ai commis, c'est vrai, de grands péchés et je ne suis pas sans tache. Maintenant, je veux me repentir. Au nom de sainte Pénitence, je veux prendre la croix pour aller, s'il plaît à Dieu, par-delà la mer. Si je meurs là-bas, je serai sauvé. Et si l'on me pend, ce sera une bien triste justice. Maintenant, je veux me repentir. » Et il se jette aux pieds du roi, qui se sent pris de pitié. Grimbert revient de son côté et crie merci pour Renart. « Sire, pour Dieu, écoute-moi ; conduis-toi généreusement : pense combien Renart est preux et courtois. S'il revient d'ici cinq mois, on aura encore grand besoin de lui, car il n'est pas de serviteur plus hardi. — Ce n'est pas sûr, dit le roi. Il reviendrait pire qu'il n'est. Telle est la coutume : qui bon y part, mauvais revient. Il fera comme les autres s'il échappe à ce péril. — Si alors il n'a pas l'âme en paix, Sire, qu'il n'en revienne jamais. » Et le roi dit : « Bon, qu'il prenne la croix, mais à condition qu'il reste là-bas. »

A ces mots Renart éprouve une grande joie. Il ne sait pas s'il fera le voyage, mais, de toute façon, on lui met la croix sur l'épaule droite. On lui apporte écharpe et bourdon[1]. Les bêtes en ont un grand dépit : celles qui l'ont frappé et malmené disent qu'elles pourraient bien le payer cher.

Voilà Renart pèlerin, écharpe au cou, bourdon de frêne en main. Le roi lui dit de leur pardonner tous les maux qu'ils lui ont fait et de renoncer aux ruses et tromperies : s'il meurt, son salut est assuré. Renart consent à tout ce

---

1. *Bourdon* : bâton de pèlerin.

que le roi lui demande; il est de son avis, tant qu'il n'est
pas parti. Il rompt le fétu[1], leur accorde son pardon et quitte
la cour un peu avant l'heure de none[2], sans saluer personne.
En lui-même, il les méprise, sauf le roi et son épouse,
madame Fière l'orgueilleuse, la très courtoise et la très
belle. Elle dit gentiment à Renart : « Sire Renart, priez pour
nous, et nous prierons aussi pour vous. — Dame, fait-il,
de quel prix serait pour moi votre prière, et bienheureux celui
pour qui vous daigneriez prier! Mais, si j'avais l'anneau
que vous portez là, mon voyage en serait bien meilleur.
Et sachez que, si vous me le donnez, vous en serez bien
récompensée : en retour, je vous donnerai tant de mes
bijoux qu'ils vaudront bien cent anneaux. » La reine lui
tend l'anneau; Renart le prend et le met à son doigt, puis
prend congé du roi. Il pique son cheval des éperons et
s'éloigne au grand trot.

RENART BAFOUE LE ROI ET REGAGNE MALPERTUIS

ANALYSE (vers 1463-1620) :

Renart, qui a grand-faim, vient à passer devant la haie où s'est
caché Couart : le lièvre, inquiet, cherche à fuir, mais Renart le
frappe de son bourdon et l'emporte. La cour du roi se tenait dans
un val bordé de quatre grands rochers. Renart monte sur le plus
haut et aperçoit toutes les bêtes qui parlent tranquillement de lui.
Il les appelle, souille la croix, et la leur jette sur la tête. Pendant
qu'il raille le roi, Couart s'échappe et court demander justice.
Noble, vexé d'avoir été lui-même dupé, lance contre le fourbe
tous ses sujets, de l'ours au grillon, sous la conduite du porte-
enseigne, Tardif le limaçon. Renart, se voyant cerné, entre dans une
grotte où les bêtes le rejoignent. Percé de coups, il réussit pourtant
à fuir et regagne Malpertuis, où sa femme et ses enfants le pansent,
le soignent et le réconfortent de leur mieux.

---

1. Un vassal rompait un fétu pour renier l'hommage qu'il avait prêté à son
seigneur. Il s'agit ici d'une locution imagée, qui signifie : se séparer de
quelqu'un, briser le lien qui vous attache à lui; **2.** Trois heures de l'après-
midi.

BRANCHE Iᵃ

(586 vers)

NOBLE ASSIÈGE MALPERTUIS

ANALYSE :

Le roi et son armée viennent camper sous les murs de Malpertuis, mais le château paraît imprenable. Renart monte sur le donjon et raille tour à tour ses dupes : il a des vivres pour sept ans et ne craint ni siège ni assaut. Pendant six mois, l'armée essaie vainement d'enlever Malpertuis. Une nuit que les barons dorment épuisés, Renart les attache chacun à un arbre par la patte ou par la queue..., mais, surpris par Tardif le limaçon, il est conduit devant le roi. Condamné à la potence, le goupil est malmené malgré les pleurs de Grimbert; dans la mêlée, Renart étrangle Pelé le rat, sans que personne s'en aperçoive. Puis, à la demande de Grimbert, il fait son testament; ensuite il déclare qu'il voudrait entrer dans un monastère. Ysengrin et Noble ne veulent rien entendre. Mais voici la femme et les fils de Renart qui apportent une forte rançon pour racheter le condamné : le roi se décide à pardonner cette fois encore, au grand dépit de toutes les bêtes. Chauve la souris vient demander justice du meurtre de Pelé : Renart se voit perdu, mais parvient à sauter sur un chêne d'où il nargue encore le roi. Noble ordonne d'abattre l'arbre, mais Renart blesse le roi d'un coup de pierre et profite du désarroi général pour s'enfuir.

BRANCHE Iᵇ

(1 008 vers)

RENART TEINTURIER — RENART JONGLEUR

ANALYSE (vers 2205-2254) :

Mis hors la loi par Noble, Renart erre dans la campagne, évitant avec soin toute mauvaise rencontre. Il supplie Dieu, qui lui fut toujours clément, de le déguiser pour que nul ne puisse le reconnaître. Après cette fervente prière, il vient à passer devant la maison d'un teinturier qui avait préparé une cuve de teinture jaune. Renart entre dans la cour en quête d'une proie et saute sur la fenêtre qui est restée ouverte.

RENART CHEZ LE TEINTURIER

TRADUCTION (vers 2255-2320) :

Ne voyant dans la chambre âme qui vive, Renart joint les pieds et saute au-dedans [...] Quelle mésaventure! Il est tombé dans la cuve. Il va au fond, mais n'y reste pas et remonte vite à la surface. Le voilà en train de nager. Cependant, le vilain, l'aune[1] à la main, continue à auner le drap qu'il veut teindre; mais il entend les efforts désespérés de Renart qui tente de sortir, épuisé par sa nage. Le vilain dresse l'oreille et s'émerveille. Il jette tout son drap à terre et s'élance vers la cuve. Il aperçoit Renart plongé dans la teinture : mais c'est un animal! il faut lui casser la tête! Renart à pleine voix : « Beau sire, dit-il, ne me frappe pas! Je suis du métier, moi aussi, et je peux bien te rendre service. J'ai beaucoup travaillé et j'en sais plus que toi. Je veux t'apprendre à mélanger la cendre à la teinture, car tu ne sais pas comment on fait. — Elle est bien bonne, dit le vilain. Par où êtes-vous venu là-dedans? Pourquoi êtes-vous entré ici? — C'est, dit Renart, pour préparer cette teinture, comme on fait à Paris et dans tout notre pays. A présent, elle est bien à point et composée comme il faut. Aide-moi à sortir et tu verras comme je fais. » Renart lui tend la patte et le vilain le tire si vivement de la cuve qu'il la lui arrache presque. Renart, se voyant sur la terre ferme, dit deux mots au vilain : « Prud'homme, je te laisse à tes occupations : je n'y entends rien du tout. J'avais sauté dans ta cuve et j'ai failli m'en trouver fort mal : car — que le Saint-Esprit m'assiste! — je devais y mourir noyé et j'ai eu grand-peur pour ma vie. Dieu m'a aidé, puisque j'en suis sorti. Ta teinture prend fort bien, me voilà tout jaune et tout resplendissant. Partout où l'on m'a vu on ne me reconnaîtra plus. J'en suis fort aise, car tout le monde me hait. Et maintenant je vous quitte, je m'en vais chercher fortune dans ce bois. »

RENART PARLE À YSENGRIN

ANALYSE (vers 2321-2349) :

Renart s'en va, se regarde, s'admire et rit aux éclats. Mais près d'une haie il aperçoit Ysengrin et a grand-peur; puis il songe que le loup ne pourra pas le reconnaître s'il contrefait sa voix. Ysengrin se signe à la vue de cette bête étrange et songe à fuir.

---

1. *Aune* : unité de mesure.

TRADUCTION (vers 2350-2466) :

Mais voilà Renart qui le salue : « Godehelpe[1]! fait-il, beau sire. Moi pas savoir parler ta langue. — Dieu vous garde, beau doux ami! De quel pays êtes-vous? Vous n'êtes pas natif de France ni d'un pays que je connaisse. — Non, monseigneur, moi être de Bretagne [...] Mais moi aller à Paris jusqu'à avoir appris tout le français. — Et vous n'avez pas de métier? — Ya, moi très bon jongleur. Mais être hier volé et battu, et mon vielle m'être pris. Si moi avoir un vielle, moi te dire bon rotruenge[2] et un beau lai et une belle chanson, à toi qui sembler fort brave homme. N'avoir mangé deux jours entiers et être heureux de manger maintenant. — Comment te nommes-tu? dit Ysengrin. — Moi avoir nom Galopin. Et vous comment, beau sire prud'homme? — Frère, on m'appelle Ysengrin. — Et vous être né en ce contrée? — Oui, j'y ai longtemps vécu. — Et toi connaître le nouveau roi? — Pourquoi? — Tu n'as point de vielle? Moi jouer très volontiers tout mon répertoire. Moi savoir les bons lais bretons de Merlin et de Noton, du roi Artus et de Tristan, du Chèvrefeuille et de saint Brandan. — Sais-tu aussi le lai de dame Yseut[3]? — Ya, ya : moi connaître absolument tous. — Tu es fort expert, dit Ysengrin, et tu en sais beaucoup, je crois. Mais, foi que tu dois au roi Artus, n'as-tu pas vu (Dieu te protège!) un rouquin de mauvaise race, un trompeur, un fourbe qui n'aima jamais personne, qui berne et dupe tout le monde? Dieu fasse que je le tienne. L'autre jour il a échappé par sa ruse et son audace au roi, qui l'avait fait arrêter pour toutes ses félonies. Il m'a tant offensé que je voudrais le voir dans un mauvais pas. Si je le tenais, il n'échapperait pas à la mort : j'ai la permission du roi. » Renart gardait la tête baissée : « Ma foi, fait-il, dom Ysengrin, ce mauvais ribaud, comment il a nom? Dites-nous, l'appelle-t-on Asnon? » Ysengrin rit à ces mots et se réjouit de ce nom : aucun trésor ne l'aurait enchanté davantage. « Vous voulez savoir son

---

1. « Dieu vous aide! » (*God help!* en anglais). Dans cet épisode où il se fait passer pour un jongleur breton, Renart parle un langage bizarre mêlé de mauvais anglais et de français incorrect, avec quelques emprunts au flamand et peut-être au haut allemand; **2.** *Rotruenge* ou *rotrouenge* : chanson à refrain; **3.** Tous ces sujets appartiennent au cycle breton : les lais de *Tristan*, d'*Yseut*, du *Chèvrefeuille* se rattachent à la légende de Tristan; ceux de *Merlin* et d'*Artus*, à la légende arthurienne; la légende christianisée de *Saint Brandan* est en rapport avec les vieilles navigations celtiques. Seul le lai de *Noton* est inconnu; *Noton*, venu de *Neptunum*, est le même mot que *nuiton*, qui a abouti à *lutin*.

nom? dit-il. — Oui, comment l'appelait-on? — Le misérable se nomme Renart : tous il nous berne et nous trompe.
Dieu fasse que je le tienne dans mes poings. La terre en
serait délivrée, il y tiendrait bien peu de place. — Lui être
dans de mauvais draps, si toi l'avoir trouvé. Foi que vous
devez au Saint Sépulcre[1] et à saint Thomas de Canterbury,
pour tout l'or que Dieu avoir, moi pas vouloir lui ressembler.
— Vous avez raison, dit Ysengrin; autrement ni Apollon
ni tout l'or de la terre ne vous mettraient à l'abri de mes
coups. Mais, dis-moi, beau doux ami : le métier que tu as
choisi, peux-tu en tirer parti à la cour sans craindre aucun
rival parmi les jongleurs de ce pays? — Moi n'avoir pas
encore trouvé mon maître. — Eh bien, viens avec moi;
je te présenterai au roi et à madame la reine, qui est une
fort aimable dame; tu me parais gentil garçon, je te ferai
connaître à toute la société.

[...] — Grand merci, dit Galopin. Moi savoir mille bons
tours, qui faire aimer moi à la cour. Si moi avoir un vielle,
moi te dire bon rotruenge et te chanter un couplet, à toi
qui sembler fort brave homme. »

RENART BERNE YSENGRIN, PUIS APPREND À JOUER DE LA VIELLE

ANALYSE (vers 2467-2794) :

Ysengrin propose au loup jongleur d'aller chercher une vielle
chez un vilain qu'il connaît : en chemin, il lui raconte tous les tours
de Renart. Par un trou de la muraille, Ysengrin aperçoit la vielle,
sans voir un chien qui dort devant le feu. Le jongleur feint d'avoir
peur; Ysengrin saute par la fenêtre, saisit la vielle et la passe à son
compagnon, qui aussitôt referme la fenêtre de l'extérieur, et empri-
sonne ainsi le loup. Le vilain s'éveille; Ysengrin le mord, mais il
est attaqué par le mâtin. Les voisins accourent, la porte s'ouvre,
le loup s'enfuit à grand-peine, fort maltraité par le chien, et réussit
à rentrer chez lui.

Cependant Renart s'en va tout joyeux dans la forêt, et pendant
quinze jours il apprend à jouer de la vielle. Quand il se sent assez
habile, il se met en campagne et rencontre sa femme avec un cousin
de Grimbert, Poncet : elle veut épouser ce dernier, car elle se croit
veuve, Tibert lui ayant dit avoir vu Renart pendu à un grand gibet.
Le goupil jure de punir Poncet.

---

1. On trouve dans l'ancienne langue des jurements formés de l'adjectif
saint et d'un nom indiquant quelque chose de sacré *(sainte Pentecoste, sainte
Patenostre)*.

RENART JOUE DE LA VIELLE AUX NOCES DE SA FEMME ET DE PONCET

TRADUCTION (vers 2795-2898) :

Ils voient Renart venir vers eux, la vielle au cou : ils ne le reconnaissent pas, et, pleins de joie, le saluent comme il se doit. « Qui êtes-vous, bel ami ? font-ils. — Sire, moi être un bon jongleur et savoir beaucoup de bons chansons que moi avoir appris à Besançon. Je saurai aussi de bons lais et ne trouverai pas mon égal. Moi être bon jongleur à tous ; je sais bien conter et chanter. Par monseigneur saint Colas, moi sembler que tu aimes la dame et qu'elle bien aimer toi. Et où toi vouloir aller ? » Et Poncet dit : « S'il plaît à Dieu, nous allons entendre la messe. Allons tous au moutier[1], où j'épouserai cette dame. Son mari vient de mourir, et le roi ne l'aimait guère. Il se nommait Renart, ce trompeur ; c'était un traître, un perfide : on l'a pendu haut et court. Il a laissé trois fils, trois damoiseaux de belle prestance, qui pensent venger leur père avant le temps des vendanges. Ils sont partis demander l'aide de madame Once[2], celle qui est haïe de tous. Le monde entier lui appartient, les monts, les bois et les champs. Il n'est pas de bête, si forte et si hardie soit-elle, même sanglier, ours, chien ou loup, qui ose la regarder en face. Les trois frères vont s'engager à sa solde. Tout ce qu'ils ont, ils le laissent à leur mère, une très courtoise dame, que je vais bientôt épouser. C'est chose décidée : avant demain soir nous aurons échangé nos serments. » Renart répondit entre ses dents : « Tu n'auras pas à t'en féliciter. » « Donc, sire, dit l'aimable Poncet, si vous voulez venir à nos noces (il ne nous manque plus que le prêtre), vous serez bien payé après la cérémonie. — Grand merci, fait-il, beau sire, moi fera comme tu voudras. Moi connaître bon chanson d'Ogier, et d'Olivand et de Rollier[3], et de Charles à la tête chenue. » « Tu es vraiment bien tombé », ajoute le maudit entre ses dents [...] Et ils se mettent en route ; Renart joue de la vielle et mène grand-joie ; ils arrivent enfin à la vaste tanière.

Quand Renart voit son château en un bien triste état, il ne fait semblant de rien. Mais, sans cesser de jouer, il pense que,

---

1. *Moutier* : v. p. 31, note 1 ; 2. *Dame Once* est le lynx, félin très rapace, et représente l'avidité humaine ; 3. Déformation burlesque d'*Olivier* et de *Roland*.

si Dieu lui prête vie, tel pleurera qui est en train de rire.
Par tout le pays, Poncet a envoyé chercher ses amis : tant
de bêtes vinrent qu'on n'eût pu les compter. De fort loin,
tous se rassemblent et mènent grand bruit dans la demeure.
Dame Hersent y est venue, fort élégante, et bien d'autres
invités en foule. Renart leur chante un air. A grande joie
on célèbre les noces; Tibert le chat et Brun font bien le
service. Les cuisines sont toutes pleines de chapons et
de gélines : il y a d'autres plats pour tous les goûts. Et le
jongleur chante, et charme toute l'assistance. Jamais on
n'entendit si beau ramage que ce ramage anglais.

RENART SE VENGE DE PONCET, D'HERMELINE ET D'HERSENT

ANALYSE (vers 2899-3212) :

Le festin terminé, les invités s'en vont. Renart, qui a vu la veille
un piège sur le tombeau de sainte Copée la martyre, engage Poncet
à y passer la nuit pour que Dieu bénisse son mariage. Poncet le
suit sans défiance, mais Renart le pousse dans le piège, où il reste
pris. Le goupil raille sa victime qui, peu après, est tuée par un vilain
et quatre chiens. Renart, tout joyeux, rentre à Malpertuis, où il
insulte et frappe Hermeline, qu'il chasse ainsi qu'Hersent. Les
deux dames se croient ensorcelées en reconnaissant Renart sous son
déguisement; elles se lamentent, puis en viennent à se quereller
et à se battre. Hermeline va succomber, quand passe un pèlerin,
qui les sépare et les réconcilie, puis il décide Hersent à retourner
chez Ysengrin et Hermeline à rentrer à Malpertuis, où Renart lui
raconte ses aventures.

BRANCHE VI

COMBAT DE RENART ET D'YSENGRIN — RENART AU COUVENT

ANALYSE :

Noble tient cour plénière; au milieu de l'allégresse générale
survient Grimbert, traînant à grand-peine Renart fort inquiet.
Le goupil salue humblement le roi, qui ne répond pas à son salut et
le menace encore de la potence. Renart se plaint d'avoir été calom-
nié et rappelle au roi tous les services qu'il lui a rendus : n'est-ce

pas lui qui, au prix d'un long et pénible voyage, a réussi à le gué-rir[1] ? Mais le roi rappelle les griefs de Tibert, de Brun, de la mésange, de dame Pinte, du corbeau, d'Ysengrin et de Roënel. Renart demande la permission de répondre : tous ses ennemis ne sont que des ingrats, et surtout Ysengrin, le plus acharné ; mais il est prêt à soutenir, par serment ou par bataille, qu'il n'a jamais porté tort au loup. Celui-ci raconte alors toutes ses mésaventures, et Renart cherche à prouver que, chaque fois, Ysengrin n'a été victime que de sa propre gourmandise. Le loup, furieux, demande la bataille : les deux antagonistes donnent chacun au roi leur gage et leurs otages. Le combat est fixé à quinze jours : tous deux se munissent des meilleures armes. Ysengrin se fie à son bon droit, et Renart à son adresse. Au jour dit, Brichemer, juge du combat, délibère avec les trois barons qu'il s'est adjoints : le Léopard, Baucent et Bruyant ; tous quatre décident d'intervenir auprès d'Ysengrin pour lui faire retirer sa plainte et empêcher ainsi la bataille. Le roi les approuve, mais Ysengrin ne veut rien entendre. Les deux champions entrent en lice ; sur le reliquaire apporté par Belin, qui fait office de chape-lain, Renart, puis Ysengrin jurent tous deux qu'ils ont dit la vérité. Le combat va s'engager : tout en s'armant, Renart supplie, puis raille son adversaire, qui se précipite sur lui et ne tarde pas à recevoir un coup bien assené dont il reste étourdi. Une seconde fois Renart fait reculer Ysengrin et lui offre vainement la paix. Les coups pleuvent à nouveau ; Renart casse le bras gauche à Ysen-grin. Tous deux jettent leurs écus, se prennent à la gorge, se mordent à belles dents. Enfin le goupil fait au loup un « tour fran-çais », le jette par terre et l'assomme ; puis il le raille et l'outrage, et cherche à lui crever les yeux. Mais Ysengrin saisit dans sa gueule un doigt de Renart, et, tandis que celui-ci se pâme, parvient à reprendre le dessus. Le goupil, étouffé, battu, déchiré, devient plus froid que glace : il ne bouge plus, et le loup le laisse sur place, à la grande joie de la cour.

Noble ordonne qu'on pende Renart ; mais celui-ci, qui n'est pas mort, revient à lui et demande un confesseur : le roi fait venir Belin. Cependant, frère Bernard, qui rentrait à l'abbaye de Grand-Mont, rencontre Grimbert en pleurs : apprenant ce qui se passe, il vient trouver Noble, qui le reçoit avec honneur et, touché par ses prières, lui accorde la grâce de Renart ; le goupil entrera au couvent, fera pénitence et deviendra le meilleur des moines.

Au couvent, Renart, bien soigné, devient frère Renart, et, par son assiduité et sa modestie, gagne l'affection de tous. Mais il est resté pervers et résiste à grand-peine aux tentations. N'y tenant plus, il dévore successivement quatre chapons offerts aux moines par un vilain ; mais il est surpris et dénoncé. Frère Bernard, indigné, devine qu'il a aussi mangé le corbeau apprivoisé du couvent et

---

1. Allusion à la branche X.

COMBAT DE RENART ET D'YSENGRIN

Miniature du XIIIe siècle (Bibliothèque nationale, manuscrit 1581).

commis beaucoup d'autres larcins dont on n'avait pu découvrir l'auteur. Il le fait dépouiller de ses habits de moine et chasser du couvent. Renart s'en va, plein de rancune, essuie au passage les sarcasmes de Roënel et rentre chez lui, où les siens se réjouissent de son retour.

BRANCHE X

RENART DUPE ROËNEL ET BRICHEMER — RENART MÉDECIN

ANALYSE :

Renart s'est — une fois de plus — dispensé de venir à la cour; Noble le fait mettre en jugement. Ysengrin propose un prompt châtiment; mais Tibert, qui déteste encore plus Ysengrin que Renart, accuse le loup de se laisser aveugler par la haine : Renart est le meilleur des barons du royaume. Noble décide d'appeler Renart et envoie Roënel à Malpertuis. Renart, qui fait renforcer la défense de son château, voit arriver avec inquiétude le messager du roi. Roënel lui intime l'ordre de se présenter à la cour le mercredi; fort humblement, Renart promet d'obéir. Tous deux se mettent en route, et Renart cherche aussitôt le moyen de se débarrasser de Roënel : tout à coup, il aperçoit un trébuchet[1] caché sous une haie; il s'approche et feint de prier. Le mâtin vient bientôt troubler sa prière et l'inviter à repartir, mais, malgré toute sa méfiance, tombe dans le lacet : le piège se détend et Roënel reste suspendu. A ses plaintes, Renart répond que le Ciel a voulu punir son impiété, sa gourmandise et ses mauvais desseins. Puis il rentre à Malpertuis, encourage ses ouvriers et fait hâter les travaux.

Cependant Roënel est assailli par des vignerons qui le rouent de coups et le laissent pour mort. Le mâtin revient à lui, se met péniblement en route et finit par arriver à la cour, où il est raillé par les bêtes. Il raconte alors à Noble la perfidie du goupil. Le roi, irrité, demande conseil : Ysengrin l'engage à se montrer sans pitié, mais Belin lui propose d'envoyer un nouveau messager. Brichemer part aussitôt; arrivé à Malpertuis, il s'engage sur le pont, mais les sergents de Renart lui décochent des traits; le goupil survient à propos, et Brichemer lui communique le message royal. Renart, tout tremblant, suit Brichemer; mais, auprès d'une ferme, les trois chiens d'un vilain attaquent le cerf, et Renart en profite pour

---

1. Ce *trébuchet* est appelé dans le texte *cooignole*, sans doute parce qu'il a la forme d'un bec de cigogne *(ciconiola)*.

s'enfuir. Brichemer s'échappe à grand-peine, arrive à la cour tout sanglant. Le roi jure de le venger.

***

Noble, en attendant que Renart se décide à venir, est tombé malade. Il fait mander des médecins, mais aucun ne peut le guérir. Grimbert, qui connaît l'habileté de Renart, pense trouver là une occasion de le faire rentrer en grâce. Il se rend à Malpertuis et apprend au goupil la maladie du roi. Renart veut d'abord savoir quels sont ceux qui se sont plaints de lui le plus violemment; Grimbert lui donne le nom de ses détracteurs : Ysengrin, Roënel et Brichemer. Renart le congédie alors en promettant de partir le lendemain.

Il se met promptement en route, mais s'arrête pour ramasser certaines herbes médicinales, dont il extrait le suc qu'il recueille dans un barillet. Un peu plus loin, il dérobe à un pèlerin endormi une aumônière contenant de l'ellébore, puis endosse son manteau. Il arrive enfin à la cour, où il est mal accueilli, et monte aussitôt dans la salle. Il salue courtoisement le roi : il vient, dit-il, de Rome, de Salerne et d'outre-mer pour lui rendre la santé. Mais Noble, furieux, le menace de la potence. Renart proteste : il a beaucoup voyagé en Maurienne, en Lombardie et en Toscane; va-t-on le pendre quand il apporte un remède merveilleux? Le roi se calme; mais Roënel proteste : Renart n'a pas quitté Malpertuis et ne sait pas un mot de médecine. Tibert — qui hait Roënel — se lève alors et affirme avoir vu récemment Hermeline; elle lui a dit que Renart était parti pour Salerne avec mille livres d'or dont il devait payer les remèdes. Noble prie le nouveau médecin de le soigner promptement; Renart l'ausculte et diagnostique une fièvre aiguë : si le roi veut guérir, il faut qu'on donne au goupil tout ce qu'il demandera. Noble acquiesce.

Renart ordonne qu'on ferme les portes et réclame la peau du loup : Ysengrin proteste; Noble, courroucé, le fait saisir et dépouiller; le malheureux s'enfuit, écorché. Renart réclame ensuite de la corne de cerf avec le maître nerf, ainsi qu'une bonne courroie de cuir pour mettre autour des reins du roi : Brichemer est à son tour saisi et mutilé, puis chassé de la salle. Renart s'adresse alors à Tibert et lui demande sa peau : le chat se voit perdu, mais, par bonheur, aperçoit un trou dans le haut de la porte et s'enfuit, poursuivi par les malédictions de Renart. Enfin, le goupil ordonne rudement à Roënel d'allumer du feu et de faire sécher la peau du loup.

On lui apporte le roi : il lui introduit dans le nez une pincée d'herbe si forte qu'il se met à enfler, à s'agiter, à éternuer, à transpirer; le malade s'inquiète, mais son médecin le rassure, l'étend près du feu, l'enveloppe dans la peau du loup et lui fait manger une autre herbe. Le lion se sent immédiatement guéri et remercie son bienfaiteur en lui faisant mille promesses. Renart, modestement, rend grâces à Dieu et demande la permission d'aller retrouver les siens, qu'il n'a pas vus depuis deux mois ; il réclame aussi une escorte qui le protège de la haine du loup et du cerf. Noble lui donne cinq cents chevaliers qui l'accompagnent jusqu'à Thérouanne[1]. Renart, vengé, rentre dans sa tanière.

1. Au sud de Saint-Omer (Pas-de-Calais) ; la description du manoir de Renart est inspirée du château de Valgris, situé dans la même région.

BRANCHE VIII
(468 vers)

LE PÈLERINAGE DE RENART

RENART SE CONFESSE À UN ERMITE

TRADUCTION (vers 1-112) :

Jadis Renart vivait en paix dans son palais de Malpertuis. Il avait renoncé à la guerre et résolu de ne plus vivre comme il avait vécu jusqu'alors. Il s'était tant de fois emparé du bien d'autrui malhonnêtement et contre tout droit, qu'à le haïr mortellement bêtes et gens étaient plus nombreux que fêtes au cours de l'an. C'est alors que, un vendredi matin, Renart vint à sortir de sa tanière. Il s'élança dans la bruyère, mais il avait le pied moins leste qu'à l'habitude, et il se trouva très fatigué. « Hélas! dit-il, il n'est plus question pour moi de faire le mal. Si j'ai commis de si grands péchés, c'est que je me fiais à ma vitesse. D'ordinaire, je courais si vite que tous les chevaux d'une armée n'auraient pu m'atteindre de toute une journée pour peu que je voulusse les dépister. Dans ce pays, il n'est pas de mâtin qui m'eût repris un poulet, quand une fois je l'avais saisi dans ma gueule. Ah! Dieu! en ai-je dérobé, des chapons et des gélines! Pas besoin de les assaisonner à la sauce verte, à l'ail, ni au poivre pour les croquer, pas besoin de vin ni de cervoise[1]. J'ai toujours été un franc coquin, et mon grand plaisir était d'aller dans les lieux que je savais hantés par les gélines [...] Quand je pouvais en tenir une, il lui fallait m'accompagner. Il ne lui servait à rien de crier; c'était une lutte à mort. J'en ai beaucoup tué ainsi. J'en fis porter une en bière devant seigneur Noble le lion : je l'avais tuée en trahison, mais on me l'arracha, et la corde de la potence faillit serrer mon gosier[2]. Je n'ai jamais rien possédé, pas même la valeur d'une aile

---

1. *Cervoise* : sorte de bière; 2. Allusion à la branche I.

de pinson, que je n'aie volé à autrui. Cela m'afflige, et je m'en repens. Beau sire Dieu tout-puissant, ayez pitié de ma chétive personne! La vie est devenue pour moi un fardeau. » Comme Renart se lamente, voici que, sur la lande, vient à pied un vilain, le chaperon baissé sur les yeux. Renart le voit venir tout seul. Il court au-devant de lui et dit : « Viens çà, vilain! N'as-tu point de chien avec toi? — Nenni, n'en doute pas. Mais qu'as-tu à pleurer, Renart? — Ce que j'ai? dit Renart; tu ne le sais pas? Vieux et jeunes en ce pays savent que je n'ai jamais voulu m'écarter des lieux où je pouvais faire du mal. Mais à présent je veux renoncer à cette mauvaise vie; car j'ai ouï dire en proverbe que celui qui demande merci en vraie confession sera pardonné. — Tu veux te confesser, Renart? — Oui, si je puis trouver quelqu'un qui me donne l'absolution. — Renart, dit le vilain, ne raille pas! Oui, tu es rusé et matois. Je vois bien que tu me prends pour un sot. — Non pas, dit Renart, sois sûr que je n'ai pas de mauvaise intention à ton égard. Pour Dieu, je t'en prie et t'en supplie, mène-moi à un moutier où je puisse trouver un prêtre. Car enfin, je veux me confesser. — Ici, dans ce bois, dit le vilain, il y en a un : viens-y, j'y vais justement. » Le vilain savait qu'il y avait là un bon chrétien.

Ils ont tant cheminé par le bois qu'ils arrivent à l'ermitage. Ils trouvent le marteau qui pend sur la porte. Le vilain heurte rudement, et l'ermite vient au plus vite. Il tire le verrou de la gâche. A la vue de Renart, il est bien étonné. « *Nomini Dame?* dit-il, que viens-tu chercher en ce logis, Renart? — Ha sire! dit Renart. Je viens vous demander pardon [...] » Il tombe à genoux aux pieds du prêtre qui le relève et lui dit : « Eh bien, Renart, assieds-toi là devant moi et confesse-moi d'un bout à l'autre tous tes méfaits. »

ANALYSE (vers 113-180) :

Renart confesse à l'ermite tous les larcins, toutes les félonies dont il s'est rendu coupable. L'ermite lui donne l'ordre d'aller à Rome : seul le pape peut l'absoudre. Renart prend, non sans avoir maugréé, l'écharpe et le bourdon; bientôt la solitude lui pèse, il quitte la grand-route pour un sentier et aperçoit dans un pré, au milieu d'un troupeau, Belin le mouton, en train de se reposer.

Vers 181-236 :

RENART INVITE BELIN À L'ACCOMPAGNER

« Belins, dist Renarz, que fais tu ?
— Ci me repos toz recreü*.   *fatigué
— Par foi, cist repos est mavais. »
Et dist Belins : « Je n'en puis mais.
185 Je serf a un vilain felon,
Qui onc ne me fist se mal non* [...]   *sinon du mal
Ces bestes ai je engendrées
190 Que tu vois ici assemblées.
Mal ai mon service enploié;
Car li vilains m'a otroié
A ses seeors* a lor prise,   *scieurs de blé (mois-
Et si a il ma pel* promise   sonneurs).
                                                *peau
195 A houseaus* faire a un prodome**,   *bottes **prud'homme
Qui les en doit porter a Rome.
— A Rome ? Par Deu! dist Renart,
Ja en la voie n'avras part[1].
Mieuz la t'i vaudroit il porter
200 Ta pel, que toi faire tuer.
Et se iceste morz t'alasche*,   *te laisse partir
Si revendra*, après la Pasque,   *elle reviendra
Li juesdis puis les Rovoisons*,   *après les Rogations
Que gent manjuent* les motons.   *mangent
205 Or es a la mort, bien le voi,
Se tu n'en prens hastif conroi[2],
Se tu n'en tornes d'autre part.
— Por amor Deu, sire Renart,
(Pelerins estes, bien le voi),
210 Conseilliez moi en bone foi!
— Pelerins sui je voirement*.   *vraiment
Mais tu n'en crois ores noient*,   *rien
Por le mal cri* que j'ai eü :   *réputation
Mais je m'en sui or repentu.
215 J'ai esté a un Deu feeil*   *à un serviteur de Dieu
Qui m'a doné molt bon conseil,
Par cui serai saus*, se Deu plaist.   *sauf
Dex a conmandé que l'on laist*   *laisse

---

1. Tu n'auras pas part au voyage (que fera le prud'homme); 2. Si tu ne prends pas rapidement tes dispositions.

Pere et mere, frere et seror,
220 Et terre et herbe por s'amor.
Cist siecles n'est que un trespas*. *passage
Molt est or cil chaitis* et las**, *misérable **malheureux
Qui aucune fois ne meüre*. *s'amende
Ja trovons nos en Escriture
225 Que Dex est plus liez* d'un felon, *joyeux
Quant il vient a repentison*, *repentir
Que de justes nonante nuef.
Cist siecles ne vaut pas un uef*. *œuf
A l'Apostoile voil aler,
230 Por conseil querre* et demander *demander
Conment je me doi maintenir*, *comporter
S'avuec moi voloies venir,
L'on ne feroit ouan* housel** *cette année **botte
Ne chaucemente* de ta pel. *chaussure
235 — L'on ne desdit* pas pelerin : *contredit
Je vois o* toi », ce dit Belin. *avec

RENART INVITE BERNARD L'ARCHIPRÊTRE À LE SUIVRE

TRADUCTION (vers 237-468) :

Ils se mettent en route, mais ils n'ont pas fait grand chemin qu'ils trouvent Bernard l'archiprêtre en train de brouter les chardons dans un fossé. « Bernard, Dieu te sauve! » lui dit Renart. L'autre lève la tête. « Dieu te bénisse! dit-il. C'est toi, Renart le goupil? — Oui, c'est bien moi. — Corbleu, quel dépit vous a fait devenir pèlerins tous deux, maître Belin et toi? — Ce n'est ni dépit ni colère : nous voulons souffrir martyre et tourment pour nous amender et nous racheter au regard de Dieu. Mais toi, tu n'as pas envie d'en faire autant ni d'aller en pèlerinage. En revanche, tu porteras toute l'année une énorme charge de bûches et de grands sacs de charbon; et tu auras toute la croupe écorchée par l'aiguillon; et, quand l'été reviendra avec ses mouches innombrables, tu ne seras pas tranquille, même à l'ombre. Fais une bonne chose, et viens avec nous. Nous ne te laisserons manquer de rien. Et tu auras à manger à souhait. — Si j'étais sûr de pouvoir manger à souhait, dit l'âne, j'irais volontiers. — Tu le pourras, j'en fais le serment. » Et les voilà partis tous trois ensemble.

LES PÈLERINS ET LES LOUPS

Ils sont entrés dans un grand bois où ils trouvent à foison cerfs, biches et daims. Mais point n'en attrapèrent. Tout le long de la journée, ils cheminèrent par la forêt sans y trouver jamais ferme, refuge ni maison. « Seigneurs, dit Belin, et où logerons-nous ? Il est tard. — C'est vrai », dit sire Bernard. Renart répond : « Et pourquoi chercher, beaux compagnons, un autre hôtel que, sous cet arbre, l'herbe si belle ? Je l'aime mieux qu'un palais de marbre. — Ma foi, dit Belin le mouton, j'aime bien coucher sous un toit. Sur nous bientôt viendraient ici se jeter trois ou quatre loups : et il n'en manque pas dans ce bois. — C'est vrai, dit l'archiprêtre. — Seigneurs, répond modestement Renart, votre volonté est la mienne. Non loin d'ici est l'hôtel de Primaut, mon compère, sur qui nous pouvons compter : allons-y, nous y serons bientôt. Je suis sûr qu'il nous hébergera. »

Les voilà arrivés. Mais ils seront fort en peine avant de repartir si Renart ne les tire d'affaire par sa ruse.

Le loup était allé dans la lande avec Hersent pour chercher à manger. Les pèlerins occupèrent l'hôtel. Ils y trouvèrent en abondance du pain et de tout : viande salée, fromage, œufs et tout ce qu'il faut à un pèlerin ; ils trouvent aussi une cervoise[1] excellente. Belin boit tant qu'il est fort gai : alors il se met à chanter ; l'archiprêtre fait la basse et Renart chante en fausset. Ils auraient bien été à leur affaire si on les avait laissés en paix. Mais le loup survient avec tout son butin dans la gueule ; quant à Hersent, elle était affamée, elle était hors d'elle. En entendant le tapage dans la maison, ils s'arrêtèrent un moment et écoutèrent. « J'entends du monde là-dedans, dit le loup. — Sur ma foi, j'irai », dit Hersent. Elle mit son butin à terre, regarda par le pertuis, et vit les pèlerins auprès du feu. Alors elle revint à son loup. « Sire Ysengrin[2], la belle aventure ! C'est Renart, Belin et l'âne. Nous les tenons dans notre filet. » Avec fureur il a frappé à la porte, mais elle est bien fermée. « Ouvrez, dit-il, ouvrez, ouvrez ! — Taisez-vous, dit Renart. Trêve de plaisanterie. — Renart, il ne s'agit pas de se taire ; il vous faut

---

1. *Cervoise* : sorte de bière ; **2.** On remarquera que le loup ne s'appelle plus Primaut, mais Ysengrin. Plus loin, il reprend le nom de Primaut.

ouvrir cette porte. Traître, félon, c'est à cause de vous que
j'ai perdu mon pied[1]. Vous voilà tous bons pour mourir.
Ce havre ne vous vaut rien, pour vous, pour l'âne et le
mouton. — Hélas! dit Belin, que faire? Nous sommes pris
sans nul recours. — N'aie pas peur, lui dit Renart; vous
sortirez bien de ce mauvais pas, si vous voulez suivre mon
conseil. — Ainsi ferons-nous, dit l'archiprêtre. Renart, tu
es à présent notre maître, toi qui nous as conduits en ce lieu.
— Alors, dom Bernard, toi qui as les reins solides, va t'ap-
puyer à ce portillon et entrouvre-le un tantinet, assez pour
laisser entrer le loup. Laisse-lui passer la tête, puis referme
la porte de toutes tes forces. Cet encorné s'escrimera contre
lui. » L'âne s'est appuyé à la porte, l'a un peu entrebâillée.
Le loup jeta sa tête en avant, et l'autre ferma la porte sur-
le-champ : l'ennemi était mieux tenu qu'en prison. Il
fallait voir alors le mouton, comme il portait bien les coups,
et comme il reculait pour mieux frapper. Renart l'excite et
lui crie : « Belin, défonce-lui la tête! Attention qu'il n'en
sorte pas vivant! » Jamais encore à nulle porte on ne vit
si fier assaut que celui de Belin contre Primaut. Il a tant
frappé, tant heurté qu'il a écervelé le loup.

Hersent, qui est au dehors et ne peut le secourir, s'en va
hurlant à travers le bois pour rassembler les autres loups.
En peu de temps, elle en réunit plus de cent, qu'elle conduit
avec elle à la maison pour venger son mari. Mais les
pèlerins ont décampé; les loups les suivent à la trace,
entraînés par la louve menaçante, et jurent de les dévorer.
Mais ils ne les trouveront pas sur le terrain. Renart, qui
les entend hurler, presse ses compagnons. « Seigneurs,
dit-il, allez grand train. » Mais l'archiprêtre a le trac, il
ne sait pas courir; Renart voit qu'il ne peut les sauver
qu'en employant la ruse. « Seigneurs, dit-il, que faire?
Nous sommes morts et perdus. Montons dans cet arbre
branchu! Ils auront vite perdu notre trace. Hersent est
furieuse du meurtre de son seigneur. — Ma foi, dit
Belin le mouton, je n'ai jamais appris à grimper. — Je ne
sais pas monter aux arbres, dit Bernard. — Seigneurs, on
apprend vite dans le besoin. Allez, seigneurs, montez,
montez! Je vous en prie, songez à vous! » Renart monta dans
l'arbre. Quand ils virent qu'il n'y avait rien d'autre à faire,

1. Cf. branche XV.

eux aussi montèrent à grand-peine; à deux branches ils se cramponnèrent.

Voici venir, piquant des éperons, Hersent avec toute la bande. Arrivés là, ils ont perdu la trace. Ils ne savent plus où aller chercher les pèlerins et disent qu'ils sont entrés sous terre. Ils sont accablés de fatigue et se couchent sous l'arbre. Belin les voit et s'épouvante. « Hélas! fait-il, malheureux que je suis! Je voudrais être avec mes brebis. — Ma foi, dit Bernard, je suis bien à plaindre. Je n'ai pas l'habitude de pareils gîtes. Il faut que je change de place. » Renart ne l'approuve pas : « Vous pourriez faire là un tour qui tournera contre vous. — Je me tournerai, dit Bernard. — Et moi aussi, dit Belin. — Eh bien, tournez; je vous laisse faire. » Ils se tournent d'un coup, mais ils perdent leur équilibre : il leur faut toucher terre. Bernard écrase quatre loups, et Belin deux pour son compte. Et les autres loups s'épouvantent de voir leurs compagnons morts : ils s'enfuient, l'un par ici, l'autre par là. Et Renart s'écrie : « La hart! La hart! Tiens-le, Belin! Prends-le, Bernard! Tiens-les, Bernard l'archiprêtre. » Et les loups décampent grand train, et pour cinquante marcs d'argent Hersent ne ferait pas demi-tour.

Renart, qui était encore sur l'arbre, descend auprès de ses compagnons. « Seigneurs, dit-il, comment vous portez-vous? Ne vous ai-je pas sauvés de la mort? L'un de vous est-il blessé? — Je suis estropié, dit Bernard. Je ne peux plus avancer, il me faut reculer. — Moi de même, dit Belin, jamais je ne serai pèlerin. — Seigneurs, dit Renart, sur ma tête, ce voyage est bien pénible. Il est au monde maint prud'-homme qui n'a jamais été à Rome. Et tel est revenu de sept pèlerinages pire qu'il n'était avant. Je veux prendre le chemin du retour; je vivrai de mon travail et je gagnerai ma vie honnêtement, je donnerai aux pauvres gens. » Alors les autres ont crié : « En avant! en avant! », et ils ont fait demi-tour.

BRANCHE VII
(844 vers)

RENART MANGE SON CONFESSEUR

ANALYSE :

Après nous avoir rappelé l'inconstance de la Fortune, le conteur nous dit que Renart se rendit de nuit à une abbaye et pénétra dans le poulailler. Il saisit un chapon et le croqua, mais un sergent[1], passant par là et l'entendant ronger les os, ferma la porte et donna l'alarme. Assailli par tous les moines, Renart se trouve en mauvaise posture, mais parvient à s'échapper.

Tout moulu de coups, il arrive sur les bords de l'Oise, aperçoit une meule de foin et y grimpe pour passer la nuit. Après avoir appelé la protection de Dieu sur les larrons et maudit tous les gens d'Église, le goupil s'endort. Au matin, avant d'ouvrir les yeux, il projette d'aller chez Gombert le vilain se régaler d'une bonne oie grasse. Mais il s'aperçoit qu'il est entouré d'eau : la rivière a grossi et la meule commence à flotter.

Tandis que Renart se lamente, il voit passer Hubert le milan, l'appelle et le prie d'écouter sa confession. Hubert vient se poser sur la meule, fait un éloge inattendu des pécheurs et invite Renart à parler. Le goupil avoue ses faiblesses ; Hubert le blâme sévèrement d'aimer Hermeline, cette maligne femelle. Renart se promet de punir l'insulteur, puis continue sa confession en disant qu'il a plus péché à lui seul que tous les moines de la terre : il a même mangé un sien filleul. Ici, Hubert se met à trembler. Mais Renart feint un grand désespoir, se roule dans le foin et reste comme pâmé. Le milan, d'abord inquiet, s'approche prudemment pour le réconforter ; mais le perfide cherche à le happer. Hubert s'échappe, se signe et manifeste son indignation : le pénitent a voulu manger son confesseur ! Puis il se calme et prie Renart de continuer. Le goupil avoue qu'il a mangé quatre jeunes milans, fils d'un certain Hubert l'ermite. Cette fois, Hubert le maudit ; Renart offre alors au pauvre père de devenir en compensation son homme lige. Hubert accepte, mais, tandis qu'il vient recevoir le baiser de paix, Renart le saisit et le dévore.

---

1. *Sergent :* serviteur (du lat. *servientem*, de *servire*, servir).

BRANCHE IX

RENART ET LE VILAIN LIÉTART

ANALYSE :

Un prêtre de la Croix-en-Brie, auteur de cette branche, nous conte qu'un riche vilain, Liétart, étant à sa charrue, traînée par huit bœufs, adresse des reproches au meilleur, Rogel, qui est fatigué ce matin-là : il le donnerait bien au loup ou à l'ours !

Brun, embusqué par là, a tout entendu et se réjouit de l'aubaine : coûte que coûte, il aura le bœuf ; d'ailleurs Liétart est homme de parole. L'ours vient donc réclamer l'exécution de la promesse. Le vilain, épouvanté, voudrait bien n'avoir rien dit ; mais, devant les menaces de l'ours, il s'incline, en demandant toutefois à garder son bœuf jusqu'au lendemain, afin de terminer son travail. Brun refuse : il n'a plus confiance dans la parole des vilains ; il exige le bœuf immédiatement. Liétart, à force de larmes et de prières, réussit à obtenir un délai de vingt-quatre heures. Brun rentre dans la forêt.

Le vilain délie tristement ses bœufs et se plaint à Rogel de cette fâcheuse aventure : une sotte parole risque de lui faire perdre tout son avoir. Renart, qui se reposait dans le bois, entend ces plaintes, va droit au vilain et le questionne. Liétart tout d'abord le repousse ; mais le goupil lui offre le secours de sa ruse et lui raconte longuement tous les tours qu'il a joués à Ysengrin ; puis il se nomme. Le vilain, sachant qu'il a affaire à Renart, sollicite ses conseils et lui expose l'affaire. Renart se met à rire et promet à Liétart de lui rendre Rogel et de lui livrer l'ours. Le vilain, ravi, lui offre tout son bien comme récompense. Renart ne demande que le coq Blanchard : Liétart le lui apportera le lendemain avec dix poulets. Le goupil développe alors son plan : le vilain cachera sous son manteau une cognée et un couteau ; quand Brun viendra chercher le bœuf, Renart, caché par là, imitera le bruit d'une chasse à courre. L'ours suppliera Liétart de le cacher dans son sillon ; quand il y sera étendu, le vilain l'assommera, puis le saignera ; il n'aura qu'à revenir une fois la nuit tombée pour l'emmener dans son *lardier*, le dépecer et le saler. Liétart remercie le goupil et rentre chez lui tout joyeux.

Le lendemain, il se rend à son champ, bien armé, et commence à labourer. Brun arrive, et le prie rudement de lui donner Rogel. Renart, qui est aux aguets, joue du cor, puis crie et hurle comme un veneur qui excite les chiens. L'ours se croit surpris par la meute du comte et supplie Liétart de le cacher : il lui laissera même son bœuf. Le vilain le fait coucher dans son sillon, le recouvre de terre, puis lui fend la tête et lui coupe la gorge.

A minuit, Liétart revient en charrette avec sa femme, sa fille Constancette et son fils Tribolet. Ils déterrent l'ours, le hissent sur la charrette, rentrent à la maison, où ils le dépècent et le salent en grand secret, de crainte que le comte ne les pende pour avoir braconné.

A l'aube, Renart vient réclamer le coq; mais le vilain, qui travaillait dans son enclos, le voit venir et rentre consulter sa femme Brunmatin. Celle-ci propose d'attacher dans la grange les trois mâtins et de les lâcher sur Renart au bon moment. Le vilain retourne à son travail; aussitôt le goupil se glisse dans la haie et demande sa proie. Mais Liétart lui propose de renoncer au coq, qui est vieux et maigre : il regrette de n'avoir rien à lui donner pour le moment. Renart se fâche, lui reproche sa déloyauté et le menace d'une vengeance terrible. Le vilain, sans se troubler, le défie et fait lâcher les trois mâtins Claveau, Corbeau et Tison, qui attaquent le goupil et le déchirent à belles dents. Renart se dégage à grand-peine, rentre chez lui et se plaint à Hermeline : quand il trompait tout le monde, tout lui réussissait; pour une fois qu'il a été loyal, un vilain l'a dupé; il se promet d'être désormais menteur et méchant. Hermeline le soigne et le réconforte.

Un matin, se sentant guéri, il sort, gagne le champ de Liétart où il trouve des courroies d'attelage oubliées auprès d'un buisson : il s'en empare. Le vilain vient ensuite les chercher, et comprend bientôt que Renart s'est vengé. Tandis qu'il se lamente, son âne Timer vient lui proposer un moyen de duper Renart. Liétart accepte avec joie. Timer se rend à Malpertuis, se couche à la porte et fait le mort. Hermeline l'aperçoit et demande les courroies de Liétart pour le tirer jusqu'à la maison. Mais Renart se mêle et lui conseille de mordre l'âne pour s'assurer qu'il est bien mort; Timer ne bouge pas. Hermeline l'attache par la queue, et tous deux se mettent à tirer; mais l'âne ouvre l'œil. Renart le lâche aussitôt et crie à sa femme d'en faire autant. Mais celle-ci le traite de poltron et de paresseux; et, convaincue que Timer est bien mort, elle s'attache par le cou à la courroie. L'âne part au galop en l'emportant, navré de n'avoir pu attraper Renart.

Tandis que Renart s'afflige, Timer arrive à la ferme, et Liétart, qui croit tenir le goupil, prend une vieille épée pour couper la tête d'Hermeline; mais il manque son coup et tranche la cuisse de son âne, qu'Hermeline rapporte triomphalement à Malpertuis. Renart se réjouit fort de ce dénouement, mais décide, malgré les avis de sa femme, de forcer le vilain à tenir sa promesse.

Le lendemain, il vient menacer Liétart de le dénoncer au comte. Le vilain, épouvanté, jure de ne plus lui faire de mal. Renart exige qu'il tue ses trois mâtins et qu'il lui présente, à genoux, Blanchard et les poulets promis. Liétart y consent et offre même au goupil de le nourrir et de le loger chez lui. Puis il va mettre sa femme au courant de l'affaire, et tous deux conviennent qu'il leur vaut mieux en passer par là que d'être pendus. Liétart assomme ses chiens en présence de Renart, puis lui donne le coq, que le goupil croque sans le plumer, avant d'emporter à Malpertuis les poulets, dont chacun se régalera.

Le lendemain matin, Renart va dîner chez le vilain et mange une bonne oie grasse. La fermière le caresse craintivement et il lui fait des grimaces à la dérobée. Il retourne si souvent chez Liétart que le poulailler est bientôt vide.

BRANCHE XII

RENART ET TIBERT AU MOUTIER

ANALYSE :

Attaqué par un prêtre qui convoite sa peau, Tibert s'enfuit en dérobant le cheval et les livres de son agresseur. Il rencontre Renart, et tous deux décident de revêtir des habits ecclésiastiques et de gérer en commun la cure de Blagny[1]. Ils se rendent au moutier où ils discutent âprement sur le partage des bénéfices. Pour punir Tibert de son égoïsme, Renart, sous prétexte de lui apprendre à sonner les cloches, le fait se prendre dans un nœud coulant et s'enfuit. Roué de coups par des vilains, Tibert s'échappe par miracle et renonce définitivement à la prêtrise.

BRANCHE XI
(3 402 vers)

AVENTURES DIVERSES — RENART EMPEREUR

ANALYSE :

RENART ET YSENGRIN (vers 1-256)

Renart rencontre Ysengrin qui, bientôt, épuisé d'avoir couru, s'endort au pied d'un chêne : le goupil lie son ennemi à l'arbre et s'enfuit. Un vilain vient à passer, attaque le loup, mais a bientôt le dessous et doit s'enfuir. Renart revient et détache Ysengrin, qui, n'ayant rien compris à son aventure, le remercie et l'invite à venir dîner chez lui. Après s'être régalé, le goupil prend congé de ses hôtes.

1. Ville de l'arrondissement de Bayeux.

RENART ET ROËNEL (vers 257-546)

Il aperçoit Roënel gisant au pied d'un arbre : le mâtin, battu par quelque vilain, ne peut plus bouger. Renart découvre une corde, et se prépare à le pendre, quand il voit venir le roi et sa suite. Le goupil s'enfuit. Noble, très ému, ordonne de détacher Roënel; puis il se fait reconnaître et demande au mâtin qui l'a mis dans cet état. Roënel, à demi mort, dénonce Renart. Le roi jure de punir le goupil; puis il fait emporter le mâtin sur une litière jusqu'à son propre palais, où il est soigné et promptement guéri.

RENART ET LES MILANS (vers 547-729)

Cependant Renart surprend au nid quatre jeunes milans et les croque; mais le père et la mère surviennent, fondent sur le goupil, le frappent du bec et des serres. Renart, fort mal en point, les étrangle l'un après l'autre, puis tombe épuisé. Passe un chevalier qui, croyant Renart mort et voulant tirer parti de sa peau, le fait emporter par son garçon; mais le goupil mord cruellement le jeune homme et s'échappe.

RENART ET LE MOINEAU (vers 730-1522)

Un peu plus loin, il trouve une herbe miraculeuse qui ferme aussitôt ses plaies. Puis il passe près d'un certain chargé de travail et supplie Droïn le moineau de lui en jeter quelques-uns. Droïn lui en jette tant et plus, et lui demande à son tour de lui rendre service. Ses neuf petits sont sans cesse malades; Renart, médecin éminent, pourrait-il les guérir ? — Bien volontiers, dit le goupil : il suffira de les baptiser, et, comme il est aussi prêtre, il pourra s'en charger. Droïn, confiant, jette ses petits à Renart, qui les dévore et répond au père fou de douleur que ses enfants sont désormais à l'abri de toute maladie.

Droïn, accablé, cherche un vengeur; il rencontre Morhout, mâtin famélique, qui, en échange d'un bon repas, consent à affronter Renart. Non loin de là passe une charrette garnie de victuailles : Droïn va voleter près du charretier, qui se lance à sa poursuite, tandis que Morhout dérobe un jambon. Peu après, le mâtin se plaignant d'avoir soif, le moineau lui procure du vin aux dépens d'un second charretier. En peu de temps, Morhout devient gros et gras.

Droïn imagine alors un stratagème et attire adroitement Renart vers un buisson où se cache le mâtin : ce dernier attaque Renart à l'improviste, le déchire à belles dents et le laisse pour mort. Droïn vengé vient railler le goupil, qui, recueilli par Ysengrin et admirablement soigné, recouvre bientôt la santé.

RENART TUE TARDIF (vers 1523-1640)

Renart dérobe à un écuyer son cheval, son faucon et un tambourin pour la chasse au canard; il gagne un marais où il s'empare de trois canards en un clin d'œil. Puis il pénètre dans la forêt, où il rencontre son ennemi le limaçon : le choc est rude; d'un coup de tambourin, Renart assomme à demi Tardif, et lui prend son épée dont il le perce. Un peu plus loin, un messager de Noble prie le goupil de se rendre à la cour et lui remet une lettre. Mais, tandis qu'il va chez le roi, en compagnie de Grimbert qu'il a rencontré, il voit venir son fils Percehaie, qui lui apprend la mort d'Hermeline. Renart, désolé, se ressaisit aussitôt : il sait, par la lettre du roi, qu'une guerre va s'engager et veut que ses trois fils soient armés chevaliers pour y prendre part.

RENART RÉGENT (vers 1641-2012)

Il arrive enfin à la cour où Noble lui donne des explications : les païens, sous la conduite du chameau, ont envahi le royaume. Sur le conseil de Renart, le lion mande tous ses vassaux qui arrivent aussitôt, sauf Tardif. Belin voudrait qu'on examinât la situation; Renart propose que l'armée parte sans tarder, et Belin se range à son avis. On s'aperçoit alors de l'absence de Tardif, le porte-enseigne : l'écureuil déclare l'avoir trouvé assassiné dans la forêt. Le roi, très affligé, demande qu'on choisisse un autre porte-enseigne. Ysengrin propose Renart; celui-ci manifeste une grande joie et prie Noble de faire armer chevaliers ses trois fils, qui viennent d'arriver. La cérémonie a lieu le lendemain. Aussitôt après, le roi prie Renart de rester pour garder le royaume : il sera remplacé comme porte-enseigne par Percehaie; il aura sous ses ordres plusieurs barons, dont Tibert et Ysengrin, et veillera sur la personne de la reine. Tous les barons jurent fidélité à Renart. Le roi part pour la guerre avec plus de cent mille soldats.

LA GUERRE CONTRE LES PAÏENS (vers 2013-2299)

L'armée arrive en vue des païens et prend ses dispositions de combat. Bernard l'archiprêtre confesse les guerriers et les encourage : Noble lui promet de le nommer évêque. La bataille s'engage : contre les scorpions, les buffles et autres Sarrasins, Couart, Tiécelin, Brun et surtout Chantecler se distinguent; mais Chantecler tombe mort. Frobert et ses grillons mettent les païens en déroute et amènent au roi le chameau, qui est écorché vif. Les morts sont ensuite ensevelis, sauf Épinard et Chantecler, que Noble ne veut pas laisser là. L'armée prend le chemin du retour.

RENART DEVIENT ROI (vers 2300-2475)

Cependant Renart, qui a résolu de se faire nommer roi à la place de Noble, imagine une ruse : un sergent, soudoyé par lui, feint de revenir de l'armée, raconte à la reine la mort du roi et lui remet une lettre des barons, écrite en réalité par Renart. Le goupil tue son complice pour plus de sûreté. La lettre dit que, sur l'ordre du lion, dame Fière devra épouser Renart. Fière, qui aime en secret le goupil, obéit avec une résignation feinte et les noces sont célébrées dans l'allégresse générale. Renart fait ouvrir le trésor et distribue or et argent à tous les barons, mais se réserve la plus grosse part et, en prévision du retour de Noble, entasse à Malpertuis des armes et des vivres pour sept ans.

RENART, VAINCU, SE RÉCONCILIE AVEC NOBLE (v. 2476-3402)

Rousseau l'écureuil, dépêché par le roi, vient annoncer la victoire et le retour de l'armée. Renart fait lever le pont : c'est lui le roi maintenant ; Noble n'entrera pas dans son château. Le lion, furieux, vient camper sous les murs de la place et entame un siège en règle. Au cours d'une sortie, Renart et ses barons, avec l'aide de Perchehaie, s'emparent de Brun et de Bruyant qu'ils emmènent comme otages. Le lendemain, le goupil charge à la tête de son armée. Après une furieuse mêlée, où périssent de hauts barons — entre autres Tibert —, Renart se replie en laissant aux mains de Noble son fils Rovel. L'usurpateur est désespéré. Sur le conseil de la reine, il crie au lion que, si Rovel ne lui est pas rendu, il fera périr les deux otages. Noble ne veut rien entendre ; puis, touché par les prières de Brun et de Bruyant au pied de la potence, il finit par consentir à l'échange des prisonniers.

Dans une nouvelle bataille, plus meurtrière encore, succombent Bruyant, Belin, Malebranche ; Renart bat en retraite. La nuit suivante, il se glisse dans la tente du lion pour l'égorger, mais Noble se réveille ; Renart est pris. Noble veut le faire pendre pour trahison, mais le goupil lui rappelle qu'il l'a guéri d'une grave maladie. Le lion consent à lui pardonner, fait sonner la retraite et rentre dans son château, où la reine le reçoit fort aimablement. Renart regagne Malpertuis et vit désormais en bonne intelligence avec Noble et Ysengrin.

BRANCHE XVI
(1 506 vers)

RENART ET LE VILAIN BERTAUD
LE PARTAGE DES PROIES

VICTOIRE DE RENART SUR LE VILAIN

Pierre de Saint-Cloud commence un nouveau conte de Renart.

TRADUCTION (vers 15-85) :

Ce fut en mai, à l'époque où la fleur s'épanouit sur l'aubépine; prés et bois reverdissent et les oiseaux chantent sans relâche toute la nuit et tout le jour. Renart se tenait à Malpertuis, sa forteresse. Mais il était en grande angoisse, car il n'avait plus de provisions [...] Il se dispose alors à en chercher. Il sort tout seul de sa maison, prend le grand chemin à gauche et coupe à travers la forêt, car il ne lui plaît pas de suivre chemin ou sentier. Il connaît bien le bois dans toute son étendue, car il l'a parcouru mainte fois. Il chemine tant qu'il descend dans la prairie, au-dessous du bois. « Dieu! Sainte Marie! dit-il; vit-on jamais si bel endroit? C'est le paradis terrestre, je crois, Il ferait bon habiter là, si l'on avait bien à manger. Voyez ce bois et ce ruisseau! Vraiment je n'ai jamais rien vu de si beau : voyez comme tout est vert et fleuri! Par le Saint-Esprit, je m'y coucherais volontiers si je n'étais pressé par le besoin. Mais besoin fait trotter la vieille. » A ces mots il se lance au galop. Mais il a grand-faim, et la faim, qui chasse le loup du bois, le force à partir à contrecœur. Il descend par les prés et regarde souvent vers l'amont, vers l'aval, pour voir s'il y découvrira quelque proie à son goût, oiseau, lièvre ou lapin. Il chemine tant qu'il s'engage dans un chemin menant à une ferme.

ANALYSE (vers 86-178) :

Renart s'introduit dans le plessis de Bertaud, un vilain très riche, mais fort avare, qui vend des volailles. Le goupil se cache sous des épines, laisse approcher le coq Chantecler et se jette sur lui.

TRADUCTION (vers 179-258) :

Chantecler se voit perdu et commence à pousser des cris perçants. Bertaud, qui était dans sa maison, bondit pour voir ce qui agite ses gélines. Il ouvre la porte de son courtil et aperçoit Renart en train de les pourchasser de la sorte. Il rentre alors dans sa maison et prend deux filets, invention diabolique; si Renart l'attend, il serait bien vexé de ne pas l'attraper. Il s'en revient droit à son courtil; mais Renart, qui l'a vu, s'est caché sous un chou; et l'autre, qui ne sait ni oiseler ni chasser, s'est mis à jeter tout de travers ses filets sur les choux, en jurant que Renart sera pris au piège. Puis il crie comme un enragé, et hurle et appelle au hasard, sans apercevoir le goupil. « Ah! ah! fait-il, vous avez eu tort de venir ici, larron trompeur. Par saint Germain, voilà qui réglera votre compte. » Il tient à la main un bâton et il en a battu ses choux, au point de les couper tous et d'éparpiller leurs feuilles. Renart voit qu'il n'y a plus moyen de se cacher, il fait un saut à la volée et se lance dans l'un des filets. Le voilà du coup en plus mauvais point. S'il échappe, ce sera bien étonnant. Le filet s'entortille autour de lui : il est pris par le cou et par les pieds; sa ruse ne lui a servi à rien. Il eût mieux fait de ne jamais venir là et de ne jamais entrer dans cette ferme. Il se tourne et se retourne en tous sens, mais plus il se tourne et plus il s'embarrasse.

[...] Le vilain fait un bond. Il marche sur lui plein de rage, veut poser le pied droit sur la gorge du goupil, croyant ainsi le maîtriser. Mais Renart ne l'entend pas de la sorte et il mord le pied à belles dents.

ANALYSE (vers 259-305) :

Le vilain tente de desserrer les mâchoires du goupil, mais ne réussit qu'à se faire happer la main droite.

TRADUCTION (vers 306-378) :

Renart a saisi dans sa gueule le pied droit et la main droite. Il menace durement le vilain et dit que — foi qu'il doit à sa dame! — il lui ôtera l'âme du corps : le vilain eût mieux fait d'être à Lançon[1] que de tomber dans les pattes du goupil. Il a grand-peur et ne sait que faire ni que dire. Ses yeux pleurent, son cœur soupire [...], et tout en pleurant il lui crie

1. Près de Vouziers (Ardennes); c'est-à-dire : ailleurs.

merci. « Sire Renart, fait-il, grâce! Lâchez-moi, je vous en prie au nom de Dieu; ordonnez-moi ce que vous voudrez, et je le ferai, car ce sera justice, et je serai désormais votre homme. — Vilaine ordure, fait Renart, que dites-vous là? Vous m'insultiez tout à l'heure, et vous comptiez bien me prendre, quand vous êtes allé, comme un sot, tendre vos filets au milieu du jardin. Mais — que saint Leu m'assiste! — vous allez le payer fort cher. » Et l'autre, qui ne peut riposter, crie, se plaint et mène grand deuil. « Sire, fait-il, je ferai selon votre volonté tout ce que vous m'ordonnerez. — Taisez-vous, dit Renart, ne plaisantez pas, perfide serf! Je vous mettrai dans un triste état [...] — Renart, pour l'amour de Dieu, n'en faites rien [...] Je suis prêt à réparer mes torts [...] Mon garde-manger est bien pourvu de victuailles à votre goût [...] Vous en mangerez à votre aise. J'en ai plus qu'aucun de mes voisins. Pour Dieu, faites-moi cette grâce. Je deviendrai votre homme lige[1] [...] Pour Dieu, recevez donc mon hommage! Pour Dieu, ne soyez pas si cruel! Vous pouvez être heureux de voir qu'un homme aussi puissant et aussi riche que moi veut devenir votre homme lige. »

ANALYSE (vers 379-477) :

Pris de pitié, Renart épargne le vilain, qui lui rend hommage en pleurant, le débarrasse du filet et le prie de faire connaître ses désirs. Le goupil exige Chantecler; le vilain, qui voudrait garder son coq, offre en échange trois poulets bien tendres.

TRADUCTION (vers 478-506) :

« Vilain, fait Renart, je ne me soucie pas de tes poulets : tu peux les garder. Mais, si tu veux me faire plaisir, tu me donneras le coq que je demande. — Sire, dit l'autre, j'exécuterai votre ordre, car je suis devenu votre homme. Sur ma tête, à l'instant vous l'aurez, puisque vous le désirez tant. » Sur ce, le vilain ne discute plus, et va aussitôt chercher le coq. Il le chasse à travers le jardin et finit par l'attraper. Il revient à Renart et le lui donne. « Tenez, sire. Par saint Gilles, j'aurais mieux aimé vous donner deux de mes gélines. Je l'aimais beaucoup, car c'était un bon coq. Mais, puisque vous ne voulez rien d'autre, il est bien juste que vous

---

1. *Homme lige :* dans le droit féodal, celui qui promet à son seigneur une obéissance et une fidélité totales.

l'ayez. — Vilain, ne vous attristez pas. Sur ma tête, vous
avez bien fait. De l'hommage que vous m'avez juré je
vous tiens quitte désormais. — Sire, fait Bertaud, puisse
votre âme en être récompensée par Dieu et madame
Sainte Marie. »

LA FUITE DE CHANTECLER — RENART CHASSE AVEC NOBLE
ET YSENGRIN

ANALYSE (vers 507-1199) :

Tout en regagnant son château, Renart cherche à consoler le
coq, et, sur sa prière, entame une chanson. Le coq, sentant les dents
du goupil se desserrer, s'échappe et s'envole sur un orme, d'où il
nargue son ennemi.

Honteux et furieux de sa sottise, Renart rencontre Noble et
Ysengrin. Sur la prière du roi, l'oncle et le neveu échangent alors
le baiser de paix; mais cette paix ne sera pas longue : c'est la « paix
Renart »!

Tous trois partent en chasse et aperçoivent dans un pré un taureau, avec une vache et son veau; sur le conseil du loup, le roi
envoie Renart en éclaireur. Le goupil trouve dans le pré un vilain
endormi et le couvre d'ordure. Le vilain se réveille et court se laver
à un fossé profond; Renart l'a suivi sournoisement; il le fait tomber
à l'eau, lui jette de grosses pierres sur la tête et l'envoie au fond.

Cependant Ysengrin, qui voit Renart sauter au bord du fossé
et croit qu'il s'amuse au lieu de remplir sa mission, donne son
compère. Le roi, mécontent, vient adresser des reproches au goupil.
Celui-ci se disculpe en lui racontant tout ce qu'il a dû faire pour se
débarrasser du vilain. Ysengrin reste sceptique, mais Noble félicite
Renart pour sa loyauté et son génie fertile. Puis il ajoute :

TRADUCTION (vers 1200-1378) :

« Mais à présent, allons à notre proie et partageons-la
sans tarder. Ysengrin, avancez et faites ce partage. Ce serait
très grande injustice que chacun n'en eût point sa part.
— Par saint Maart, dit le loup, puisque tel est votre bon
plaisir, c'est mon désir le plus cher : car j'ai grand-faim
au ventre. Et il me semble tout d'abord que nous avons ici
un taureau, une vache et un veau : voilà ce que nous devons
partager. » [...] Et il pense en lui-même qu'il aimerait mieux
être pendu que de donner une part au goupil. « Sire, fait-il,
Dieu me garde! le mieux est que de cette belle proie vous
gardiez pour vous ce taureau, et aussi cette petite génisse :
madame la lionne la trouvera bonne et savoureuse. Et moi,

qui ne veux pas tout prendre, je me contenterai de ce veau. Quant à ce sale rouquin, c'est trop bon pour lui; qu'il aille chercher pâture ailleurs. »

Le droit du seigneur n'est pas petite chose : il veut tout faire à son dessein. Il n'aime pas à partager, il veut tout garder pour lui. Ysengrin aurait bien dû y songer (foi que je dois à Dieu) avant de faire le partage. Noble remua un peu la tête aux paroles du loup. Elles ne lui plaisaient guère, car ce qu'il savait fort bien, c'était qu'il voulait tout garder, bien qu'il eût proposé le partage. Il fit deux pas, dressa la patte droite et frappa si rudement Ysengrin à la joue qu'il lui rabattit la peau du crâne sur le museau et le fit saigner à flots. Puis il s'adressa à Renart et lui dit : « C'est vous qui allez partager, et nous verrons ce que vous en direz, sire Renart au grand savoir. — Sire, fait Renart, vous ne devez pas parler ainsi : en vérité, foi que je dois à sainte Charité, en face de vous je n'ai droit à rien du tout. Prenez comme vous voudrez et donnez-nous ce qu'il vous plaira : il est juste, vous le savez bien, que toute la proie soit à vous. — Foi que je dois à saint Patenôtre, fait Noble, cela ne va pas. Je veux que la proie soit partagée avant que vous bougiez d'ici. — Sire, puisque vous le voulez, fait Renart, je la partagerai. M'est avis, à mon sens, et comme le disait Ysengrin, que le mieux est que vous gardiez le taureau pour vous. C'est à vous qu'il revient plus qu'à nul autre. Madame la reine aura la vache, si grasse et si tendre. Et votre fils, qui ne tette plus, et qui naquit cette année, aura pour son repas, si vous le voulez bien, ce petit veau, ce tendre veau de lait : il n'aura pas huit jours demain. Quant à ce vilain et à moi, nous irons chasser ailleurs pour trouver notre pâture. »

Le roi l'écoute, il est content : quand il voit que tout est pour lui, il saute de joie. « Renart, fait-il, Dieu te sauve! dis-moi donc, sans mentir, qui t'a appris à partager. — Sire, dit l'autre, par sainte Luce, c'est ce vilain au rouge capuchon. Je n'ai jamais eu d'autre maître. Je ne sais s'il est clerc ou prêtre, celui qui porte cette rouge couronne, mais il a bien l'air d'un haut personnage, d'un pape ou d'un cardinal. — Renart, fait Noble, tu es très fort. Tu ne penses pas qu'à la mangeaille. Bien fou qui te prendrait pour un sot : sur mes yeux et sur ma tête, tu es bien la bête la plus rusée de mon empire. Tu retiens bien ce que tu entends dire. Celui-là prend la meilleure voie qui se corrige par l'exemple d'autrui. Et tu as fait ce qu'il fallait, à mon avis. Eh bien, restez ici tous deux ensemble, moi je m'en vais [...] — Ah! sire, fait Renart, ne dites pas cela! Serai-je ainsi récompensé de vous avoir conduit ici? Certes, si je n'ai pas le moindre morceau, je ne pourrai guère me louer de vous. Mais, si vous ne voulez rien me donner, sire, donnez au moins à ce vilain de quoi rompre son jeûne. Il peut à peine se tenir debout [...] J'ai le cœur tout attendri de le voir si cruellement blessé. C'est que vous lui avez bien déchiré son chaperon contre sa joue. » A ces mots, il fait au loup une grimace sans que l'autre s'en doute. Noble se met à rire et dit : « Renart, tu es expert en tromperie. Tu sais bien te tirer d'affaire. Je vois pourquoi tu me fais ce sermon : tu as plus de pitié de toi que de lui. Car, je le sais bien, si je n'emportais pas tout, je n'aurais pas plus tôt le dos tourné que tu lui enlèverais sa part. »

ANALYSE (vers 1379-1506) :

Après le départ de Noble, Renart feint une vive indignation; il promet à Ysengrin de le venger. Le loup ne répond pas tout de suite : sans doute il sait que Renart lui a juré amitié et que lui seul pourrait l'aider à punir Noble; mais le goupil ne serait-il pas capable de le trahir et de le dénoncer au roi? La rage finit par vaincre la méfiance, et Ysengrin accepte l'offre de Renart qui, avant de le quitter, l'assure de son appui.

BRANCHE XVII

(1 688 vers)

LA MORT DE RENART

LA PARTIE D'ÉCHECS DE RENART ET D'YSENGRIN

ANALYSE (vers 1-463) :

Renart et Couart le lièvre se rendent à la cour, où l'on célèbre la fête de sainte Copée.

Après un brillant festin, les barons se mettent à jouer. Renart fait une partie d'échecs avec son compère Ysengrin; il perd tout son avoir et, n'ayant plus rien à mettre au jeu, il joue sa peau contre de l'argent. Il perd encore : Ysengrin le cloue à l'échiquier. De douleur, le goupil se pâme et demande à se confesser. La reine, désolée de perdre son cher Renart, fait venir Bernard l'archiprêtre. Le goupil avoue ses péchés, puis perd connaissance. Le roi vient à son tour et, croyant Renart mort, s'afflige et fait prévenir la famille du goupil.

TRADUCTION (vers 463-490) :

Sur-le-champ, Noble envoie un messager à Malpertuis. Quand Hermeline et ses trois fils ont appris la triste nouvelle, ils cheminent tant qu'ils arrivent au château du lion. Hermeline entre dans la chambre, son cœur frémit; elle mène avec ses fils si grand deuil qu'on n'entendrait pas le tonnerre du ciel. Et tous disent avec de profonds soupirs : « Sire, il n'y a pas encore quinze jours que vous êtes parti de Malpertuis tout joyeux pour ne plus y revenir. Voilà un grand sujet de deuil. Grimbert ne sait rien encore; il convient de lui faire savoir votre mort. » Le roi dit : « Qu'on le fasse donc venir! » Il a appelé un messager, qui vient sur-le-champ. « Va, fait-il, va sans tarder droit à Malbuisson; dis de ma part à Grimbert qu'il vienne me trouver ici, et apprends-lui le malheur. » L'autre s'en va grand train.

ANALYSE :

Grimbert apprend la mort de son cher cousin et, tout en pleurs, se rend à la cour; il s'assied près de la bière et se désole.

LES VIGILES

TRADUCTION (vers 534-598) :

Puis le roi fit porter le corps dans la grand-salle en grand cortège. Ils restèrent là jusqu'à la nuit. Dame Fière ne manqua pas de faire apporter des cierges; on les alluma à foison dans le palais. Je ne peux dire leur nombre; jamais pour roi ni pour comte on ne fit telle dépense de luminaire. Grimbert, qui avait cessé de se lamenter, s'était assis près de la bière; il dit au roi : « Par saint Denis, faites donc chanter les vigiles sans plus attendre. » Le roi répond : « Par saint Éloi, Grimbert, vous avez bien parlé. » Puis il a appelé Bernard : « Bernard, fait-il, venez ici et amenez vos servants. Et chantez les vigiles des morts pour Renart que voilà trépassé, ce qui me cause une profonde affliction. — Sire, à vos ordres », lui a répondu Bernard. Et tout aussitôt il s'éloigne du roi et emmène avec lui Tibert le chat, et monseigneur Hubert le milan, et monseigneur Tardif qui s'attriste en songeant à Renart. Bernard emmène aussi avec lui le hérisson, toujours élégant et affable, et dom Frobert le grillon; et encore Chantecler et dom Roënel le mâtin, et sire Ferrant le roncin[1], et Brun l'ours, et Bruyant le taureau; et avec eux Ysengrin et dom Brichemer et sire Baucent le sanglier. Ils ont passé leurs vêtements sacerdotaux et sont retournés devant le corps dans la grand-salle. Grimbert est pâle et blême, car il aimait beaucoup Renart. Et tous commencent à chanter les vigiles. Le savant Roënel a lu la première leçon[2], avec un visage bien triste. Le limaçon a dit tout le répons sans bredouiller ni sans trop de peine. Puis, à eux deux, ils dirent le verset, l'un en basse, l'autre en fausset. Ensuite Brichemer le cerf a lu la deuxième leçon; c'est Tibert qui a chanté le répons avec sire Frobert. Et puis ils ont chanté le verset, doucement, et pas trop vite.

ANALYSE (vers 599-644). — Et ainsi de suite jusqu'à la neuvième leçon, au neuvième répons, au neuvième verset.

TRADUCTION (vers 645-659) :

Quand les leçons furent chantées et les vigiles terminées, ils allèrent tous ensemble enlever leurs surplis. Ensuite, ils revinrent dans la grand-salle, encore tous ensemble. Devant le corps, tous ensemble, ils s'assirent. Il y avait là une belle et douce lumière, et si abondante que toute la maison en reluisait. Cette nuit-là, ils prirent du bon temps, et jamais, à ce que je crois, ils n'en prendront autant.

ANALYSE (vers 660-786). — Les bêtes jouent toute la nuit, rivalisent de force et d'adresse, boivent, chantent ou se querellent.

LA CÉRÉMONIE AU MOUTIER — LE SERMON DE BERNARD

TRADUCTION (vers 787-867) :

Dès qu'ils virent paraître le jour, le jeu cessa aussitôt et dom Bernard l'archiprêtre fit sonner les cloches pour Renart.

---

1. *Roncin* : cheval de charge; 2. *Leçon* : lecture d'un psaume.

Ils sonnent avec entrain. Ils ont porté le corps au moutier et l'ont déposé devant l'autel, le plus beau qu'on ait jamais vu : c'était celui de madame Pinte[1], qui gisait là dans une châsse depuis sa mort douloureuse. Elle fut mise là sous l'autel le jour de son trépas. Chantecler agit sagement quand il fit placer le corps en ce lieu avec la permission du roi. Car elle fait des miracles et guérit tous les perclus qui viennent là, tous ceux qui souffrent de la goutte et des dents.

Donc, on déposa Renart à terre devant l'autel, et le roi envoya chercher tous les barons de son empire. Du meilleur au pire, tous vinrent, car ils n'osèrent refuser. Pourtant plus d'une fois le défunt s'est bien amusé d'eux. Devant l'autel, en grand silence, ils ont pris place autour du roi. Les six personnages les plus puissants et les plus hauts allèrent s'habiller pour les funérailles de Renart. L'un fut Bernard l'archiprêtre; deux autres furent Bruyant le taureau et Ferrant le roncin; le quatrième fut Roënel le mâtin; il y eut enfin Brun l'ours et le cerf Brichemer qui aimait tant Renart. Eux six se vêtirent selon le rite pour le service de Renart qui gît dans la bière. Hermeline et madame Fière poussent de grands cris et mènent grand deuil. Bernard, qui avait le teint pâle à force de jeûnes et d'austérités, entreprit un sermon un peu avant l'évangile. « Beaux seigneurs, fait-il, j'ai lieu de m'étonner grandement : Renart était hier tout gaillard, et voilà qu'il est allé à sa fin. On devrait bien être net et pur de tout péché en cette vie où chacun finit par mourir. C'est l'exemple que devraient suivre ceux qui, sans cesse, songent à commettre méchancetés et malices. Il n'est tour ni rempart, ni forteresse ni manoir qui puisse les garantir. Chacun mourra, c'est la raison pour laquelle chacun doit s'efforcer de mener bonne vie. Renart, que voilà trépassé, a mené en son temps la vie d'un martyr et d'un apôtre. Puissent tous les nôtres faire une aussi bonne fin et une aussi bonne pénitence que la sienne a été bonne, je n'en doute pas! Jamais, à aucun moment, on n'a pu reprocher à Renart aucune vilenie. Il a été sans félonie, sans malice et sans orgueil. Jamais mes yeux n'ont vu un prince de telle vertu. »

---

1. On remarquera que Copée change ici de nom, comme Primaut dans la branche VIII.

L'ÉPÎTRE ET L'ÉVANGILE

ANALYSE (vers 868-1012) :

Après cet éloge inattendu de Renart, l'archiprêtre commence l'office, récite le *confiteor* et dit une oraison pour le goupil, bon époux et bon père. Puis Brichemer entame l'épître, rappelle les bons repas que fit le défunt aux dépens des Moines Blancs et l'absout de ses péchés. Ferrant le roncin lit l'évangile « *secundum le gorpil Renart* » et conclut avec bonne humeur que Renart ira en Paradis ; les gélines feront son lit, mais, pour pénitence, il n'aura pas le droit de les croquer.

LA MISE AU TOMBEAU — RENART SE RÉVEILLE ET S'ENFUIT EN EMPORTANT CHANTECLER

TRADUCTION (vers 1013-1105) :

L'archiprêtre sire Bernard chanta la messe pour Renart. Quand elle fut terminée, le roi fort à propos parla à haute voix devant tous, fit venir Brun l'ours et lui dit : « Vous irez sous ce pin, et vous me ferez, beau très doux ami, la fosse où sera mis le corps de Renart : c'est avec grand honneur qu'il sera mis en terre. Aussi je vous prie d'obéir à mon commandement. » L'autre répond : « Je ferai votre volonté, envers et contre tous. — Chantecler, dit le roi, prenez l'encensoir et vous encenserez le corps. Brichemer et vous, le mouton dom Belin, vous porterez la bière du baron de franc lignage[1]. Ysengrin s'occupera de la croix. Chacun y mettra du sien. La chèvre prendra un tambourin dont elle ira tambourinant. Et le roncin[2] sire Ferrant — tel est mon plaisir — jouera sur la harpe tout à son aise un air gallois ; je veux qu'on aille vite. Couart le lièvre et Tibert le chat avec Hubert le milan porteront les cierges allumés. Quand on ira mettre le corps en terre, les souris sonneront les cloches et le singe fera la grimace. Bernard descendra le corps dans la fosse : il ne faut pas chercher d'autre fossoyeur. » Sans délai, ils exécutent l'ordre du roi : ils apportent en grande pompe le corps dont on ne voyait que la tête. Brun l'ours, aux grosses pattes, a bien préparé la tombe. Ils y ont descendu le corps, que recouvrait un drap vert. Et quand ils eurent enlevé le drap, Brichemer prit le mort par la tête, comme Bernard le lui avait montré, lui qui

---

1. *De franc lignage :* noble authentique, qui tient ses titres de ses ancêtres ;
2. Cf. page 91, note 1.

avait mis en terre tant de monde. Belin prend Renart par
les pieds. Ils l'ont déposé et couché doucement dans la
fosse sans plus attendre, et vite l'archiprêtre jeta dessus
de l'eau bénite pour mettre le corps à l'abri des attaques
du maudit. Quand vint le moment où Brun jeta la terre
pour le recouvrir, Renart ouvrit l'œil tout soudain. Il
s'étonna de ce qui se passait, il eut peur : il craignait d'être
enterré vivant. Il ouvrit les yeux pour de bon : il n'y avait
plus de temps à perdre. Il était resté longtemps en pâmoi-
son et ne savait ce qui s'était passé : il pensa bien être
ensorcelé. Quand il vit le roi et l'assemblée des barons,
il se sentit la force de guérir : pieds joints, il saute hors de
la fosse et happe au passage Chantecler qui tient l'encensoir, et avec lui file en toute hâte et se jette dans un plessis[1].

Quand le roi se fut aperçu de la fourberie de Renart, il
fut plein de colère et de rage. Aussitôt il se mit à dire :
« Vite à ses trousses, mes vaillants compagnons! S'il nous
distance d'une lieue, j'aurai perdu mon baron. Qui pourra
rattraper le larron, celui-là, je l'aimerai toujours. » Alors,
sans tarder, tous se lancent à grands coups d'éperon, dans
une course folle, à la poursuite de Renart qui emporte
Chantecler.

ANALYSE (vers 1106-1189) :

Le coq, pour échapper aux dents du goupil, l'engage à répondre
aux menaces de ses poursuivants ; mais Renart se tient sur ses gardes
et reste muet. Tout à coup, un mâtin surgit et lui barre la route.
Pris entre ce nouvel adversaire et les gens du roi, le goupil se décide
à lâcher sa proie.

COMBAT DE RENART ET DE CHANTECLER

TRADUCTION (vers 1190-1397) :

Il dit alors : « Chantecler, par mon chef, je suis forcé
de te lâcher. Ce mâtin a dû se reposer à l'attache pour me
suivre si facilement. Va-t'en promptement. Je ne t'ai ni
blessé ni maltraité, et si tu vas à la cour, ami, ne me porte
pas tort auprès du roi par tes protestations. — Je n'en
ferai rien, beau maître », dit l'autre. Et il saute sur un arbre
à droite et montre une grande joie, tandis que Renart s'enfuit à vive allure. Mais le chien l'accroche et lui retourne la

---

1. *Plessis :* petit bois entouré d'une haie.

peau du dos jusqu'à la croupe. Voilà le goupil en grande crainte de perdre la vie; mais Tardif, qui brûle d'être le premier à rattraper le fugitif, arrive et le sauve du mâtin, non sans avoir frappé de grands coups avant de lui faire lâcher prise. Aussitôt a bondi autour du limaçon la belle et noble compagnie que le puissant empereur Noble envoya pour saisir Renart. Ils l'ont pris et lié sans attendre. Ils l'ont mené devant le roi, qui jure comme un forcené qu'il le fera démembrer, brûler, écorcher ou écarteler, ou torturer cruellement [...] « Sire, fait Renart, écoutez! Faites-moi mettre en jugement : je me conformerai à la sentence et solliciterai votre grâce. Jamais nul homme sur terre n'a été condamné sans jugement. S'il se trouve en votre cour quelqu'un qui veuille prouver contre moi que j'ai commis déloyauté, trahison ou perfidie, je suis prêt à me défendre. Ils ne me voulaient pas de bien, ceux qui me mettaient en terre. Sans doute, ils ne craignaient guère mon esprit de ruse. Pour quel forfait, je voudrais le savoir, me faisait-on enterrer vif? [...] C'est Chantecler, je n'en doute pas, qui avait (ce me semble) imaginé et conduit toute cette trahison [...] Si je ne le force pas aujourd'hui à se déclarer vaincu, même si cela ne plaît pas à tout le monde, faites-moi crever les deux yeux. — Renart! Renart! dit Chantecler, par la foi que je dois à Bernard l'archiprêtre ici présent, jamais l'affaire ne s'est passée de la façon que vous dites. Vous ne vous en tirerez pas, aujourd'hui, aussi facilement que vous le croyez. Ah! sainte Copée, assistez-moi, aussi vrai que Renart vous tua contre tout droit et que je suis innocent de l'accusation qu'il porte contre moi! — Vous mentez, traître! fait Renart. A force de mensonges vous m'avez fait mettre en terre : avant la fin du jour, vous devrez vous avouer vaincu et vous serez blessé à mort et mis en pièces. Il ne peut pas en être autrement. — Sire, accordez-moi la bataille, dit Chantecler à l'empereur, et faites pendre ou démembrer celui qui s'avouera vaincu. Vous devriez bien vous souvenir des maux qu'il vous a faits. » Aussitôt, ils sont face à face, sans demander aucun délai. Tardif, le milan, et Ferrant, le grillon et la fourmi, qui étaient de fort bons amis, preux et vaillants, surveillèrent le combat au nom du roi. Quand les serments furent faits, ils les laissèrent en présence. Alors, ils se sont jetés l'un sur l'autre. Et Renart, le premier, attaque Chantecler. Il lui donne de grands coups de patte,

Et Chantecler, de son bec, lui fait sur la joue une déchirure si belle que le sang clair en jaillit et lui coule jusqu'à la plante des pieds et l'aveugle pour un bon moment. « On voit bien que vous êtes toujours vivant, fait Chantecler, qui le serre de près : votre sang est d'un beau rouge [...] »

Renart l'attaque avec vigueur, et furieusement il le frappe d'un coup de patte à la hanche : il la déchire, blanche et nue, et lui fait une bien triste marque. A travers le haubert que formait son plumage, il fait jaillir un plein boisseau de sang. Il en court sur le sol un tel ruisseau qu'il pourrait faire tourner un moulin. Mais Chantecler compte bien lui faire payer un tel coup : il lui saute sur le dos; il l'éperonne avec fureur; du bec il le pince, le mord et lui fouille le crâne. Il lui tranche l'oreille droite et lui crève l'œil gauche. Puis il lui dit : « M'est avis, sire Renart, que vos affaires vont mal [...] Si Épinard le hérisson, le médecin du roi, veut bien mettre sur vos plaies lancéolée et plantain, vous serez guéri [...] Mais je crois que, quand la bataille sera finie et que j'aurai satisfait ma colère, vous n'aurez plus besoin de médecin. » Renart a résolu de faire le mort et de ne plus se frotter à Chantecler qui l'a tant humilié et endommagé. Il se laisse tomber sur place; et Chantecler le mord et le pince, et Renart fait semblant d'être mort, et ne bronche ni ne remue [...] Quand Chantecler le voit ainsi, du bec il le prend par la queue et le traîne dans un fossé. Renart voit bien que nul ne lui porte aide ni secours : car c'est la bête la plus haïe du monde entier. Il sait bien que, ni pour or ni pour argent, ni à crédit ni au comptant, il ne pourrait se racheter si sa ruse était découverte. Par sa sagesse il a trompé Chantecler, qui le laisse pour mort.

RENART MUTILE LE CORBEAU — FUREUR DE NOBLE

ANALYSE (vers 1398-1558) :

Croyant Renart mort, Noble et ses barons s'en vont. Rohart le corbeau et Brune la corneille sautent sur le goupil et lui donnent des coups de bec; mais le perfide fond sur Rohart, lui arrache une cuisse et rentre à Malpertuis en piteux état. Pendant ce temps, Brune prend Rohart « dans ses bras » et l'emporte auprès du roi, à qui tous deux demandent justice. Noble, furieux, veut marcher sur Malpertuis et faire pendre le traître. Grimbert intervient et propose au roi, qui accepte, d'aller avec Hubert le milan sommer Renart de venir à la cour.

TRADUCTION (vers 1559-1628) :

Hubert, qui porte le message, et Grimbert vinrent à la porte et crièrent de toutes leurs forces : « Ouvrez au messager du roi! » [...] Quand le portier les entend, il relève d'un coup la herse qui était baissée. Grimbert se risque à entrer et pénètre à reculons. Quand il a franchi le premier portail, il dit au milan : « Avancez, sire Hubert! Baissez-vous, car l'entrée est basse. — Je crains, dit Hubert, que Renart ne fasse encore aujourd'hui ripaille avec ma chair. C'est ici que je me tiendrai : j'attendrai que vous reveniez. Je vis mieux au large qu'à l'étroit. » Grimbert est bien obligé de consentir à la prière de frère Hubert. Il entre, et Renart lui demande, sur un ton dolent, ce qu'il veut. Grimbert lui a dit : « Beau voisin, je suis votre cousin germain et je vous devrais grande affection. Mais monseigneur Rohart le corbeau est venu se plaindre de vous à la cour [...] Vous ne devez pas refuser de venir vous justifier. — Cousin, j'ai autre chose à faire. Désormais je n'irai plus à la cour; on s'est trop mal conduit avec moi. Vous direz de ma part au roi, quand vous retournerez auprès de lui, que le corbeau m'a blessé à mort. C'est là, dehors, sous cette pierre tombale marquée d'une croix et sous cette aubépine que me fit enterrer Hermeline, votre amie, votre parente, plongée dans une profonde affliction. Quand vous aurez passé la porte, vous trouverez là le tombeau d'un vilain qui s'appelait Renart. Dessus, vous verrez le nom écrit : et vous le direz bien au roi à votre retour. Hermeline, à l'instant, vous mènera droit à cette tombe toute récente. Avec elle ira mon fils Rovel. »

ANALYSE (vers 1629-1688) :

Hermeline, tout en déplorant sa misère, conduit au tombeau de Renart les deux messagers, qui vont ensuite apprendre au roi la mort du goupil. Noble s'afflige d'avoir perdu le meilleur de ses barons.

DERNIÈRES BRANCHES

BRANCHE XIII (2 366 vers)
Les peaux de goupil. — Renart le noir.

Poursuivi par un chevalier, Renart se soustrait aux recherches en se suspendant au mur d'une salle à côté de peaux de goupil qu'on a mis sécher là. Sa ruse est finalement découverte, mais il s'enfuit, dupe successivement une corneille (cf. branche VII) et un vilain (cf. branche XVI). Puis il se teint en noir (cf. branche I^b) et en profite pour duper Ysengrin, Roënel et Rousseau l'écureuil; reconnu, il se moque des messagers du roi (cf. branche I), mais finit par être vaincu par Roënel dans un combat judiciaire (cf. branche VI); mis dans un sac et jeté à l'eau, il est sauvé par Grimbert et rentre à Malpertuis.

BRANCHE XXIII (2 080 vers)
Jugement de Renart. — Renart magicien.

Accusé par Chantecler et condamné à mort (cf. branches V^a et I), Renart sauve sa vie en promettant au roi une épouse riche et puissante. Il apprend la magie à Tolède, et revient présenter à Noble un cortège d'animaux fabuleux dont les tours diaboliques, pendant le banquet de noces, lui permettent de se venger de ses ennemis.

BRANCHE XXIV (314 vers)
Naissance de Renart. — Les enfances Renart.

Adam, chassé du Paradis terrestre, a reçu de Dieu une baguette merveilleuse avec laquelle il crée tous les animaux utiles. Ève, de son côté, crée avec la même baguette tous les animaux sauvages et malfaisants : c'est ainsi que Renart lui doit sa naissance.

Il se rend un jour chez son oncle Ysengrin et lui conseille de cacher trois beaux jambons qu'il voit pendus au plafond. Le loup néglige cet avis. Pendant la nuit, Renart perce le toit et emporte les jambons. Au matin, tandis qu'Ysengrin se lamente, il vient le féliciter de les avoir cachés suivant son conseil.

BRANCHE XXVI (132 vers)
L'andouille jouée à la marelle.

Tibert le chat, Blanche l'hermine, Roux l'écureuil, Frémond la fourmi jouent à la marelle une andouille qu'ils ont trouvée. Survient

Renart. Tibert saisit l'andouille et grimpe sur une croix (cf.
branche XV), mais le goupil réussit à lui faire lâcher sa proie.

BRANCHE XXV (310 vers)
Renart mange le héron, puis dupe un vilain.

Renart, pour attraper un héron qui pêche dans une rivière, fait
flotter vers lui une feuille de fougère, puis toute une brassée, puis
s'approche lui-même blotti dans un radeau de fougère : il saisit le
héron et va le croquer à terre, puis s'endort sur une meule de foin.
Emporté par le courant de la rivière en crue (cf. branches VII et
XIII) et attaqué par un vilain qui passait dans un bateau, Renart
saute légèrement dans la barque qui s'éloigne, tandis que son agresseur manque de se noyer.

BRANCHE XXI (160 vers)

Ysengrin et Patous l'ours disputent un jambon à un vilain, qui
réussit à emporter le butin grâce à une ruse de sa femme.

BRANCHE XVIII (138 vers)
Ysengrin et le prêtre Martin.

Le loup convoite les brebis du prêtre Martin; il tombe dans une
fosse creusée à l'avance; mais, au moment où le prêtre va l'assom-
mer, il lui arrache sa massue, le fait tomber dans la fosse, lui grimpe
sur le dos et s'échappe.

BRANCHE XIX (90 vers)
Ysengrin et la jument Raisant.

Ysengrin vient offrir sa compagnie à Raisant, qui le prie de lui
retirer une épine du pied : le loup s'approche et la jument l'assomme.

BRANCHE XX (94 vers)
Ysengrin arbitre.

Ysengrin aborde deux béliers, qui, sans manifester aucune
crainte, le prennent comme arbitre : il s'agit de partager un pâtu-
rage : ils partiront chacun d'un bout et le plus rapide aura la plus
grande partie. Le loup accepte : les deux rivaux accourent chacun
de leur côté, lui brisent les côtes avec leurs cornes et s'en vont,
tandis qu'il maudit sa sottise[1].

---

1. On remarquera que Renart est absent de ces quatre dernières branches.

LES TRANSFORMATIONS DU ROMAN DE RENART

RENART LE NOUVEL
(8 048 vers)

LE SIÈGE DE MALPERTUIS (vers 1-2630)

Après nous avoir rappelé que le monde est plein de convoitise et de méchanceté, l'auteur nous transporte à la cour de Noble. Le roi fait armer chevalier son fils, Orgueil, qui revêt l'ancienne armure de Lucifer. Vexé du succès des fils d'Ysengrin à la joute, Orgueil médite leur perte avec Renart. Ce dernier lutte contre Ysengrin et le blesse traîtreusement, puis tue son fils Primaut. Dénoncé, il se réfugie chez Grimbert, et regagne Malpertuis, où il nargue la puissance de Noble. Spoliés par le goupil, les petits animaux vont se plaindre au roi, qui tente vainement d'enlever Malpertuis, tandis que Renart s'empare d'Orgueil, qu'il emmène dans son château où six princesses (Colère, Envie, Avarice, Paresse, Luxure et Gloutonnerie) le couronnent roi de tous les vices. Orgueil va courir le monde avec Malebranche, espérant la faveur des riches et des puissants.

Cependant Renart, déguisé en Frère Mineur, réussit à sauver les prisonniers de Noble — parmi lesquels son propre fils, Rousiel. Nouvel assaut, suivi d'une trêve, pendant laquelle de nombreux soldats du roi, mécontents de la réduction de leur solde, viennent offrir leurs services à Renart.

Le goupil, se sentant fort, fait sa soumission au roi, qui, ravi, lui pardonne et le réconcilie avec Ysengrin : grande fête et magnifique réception à Malpertuis.

LE TRIOMPHE DE RENART (vers 2631-8048)

Nommé sénéchal à la place d'Ysengrin, Renart ne cesse de duper Noble, de lui donner de mauvais conseils; il se joue d'Ysengrin et de Tibert, mais dépasse la mesure et est bientôt assailli chez lui par Noble. Il refuse de se soumettre et rassure ses partisans en leur promettant de les emmener sur un navire construit et dirigé par tous les vices. Il prend la mer.

Noble s'empare de Malpertuis et projette de poursuivre Renart sur une autre nef composée de vertus. Le goupil lui envoie un message insolent, puis se déguise en « physicien » et revient à la cour,

LE SIÈGE DE MALPERTUIS

Renart lance des carreaux d'arbalètes contre les assiégeants.
Miniature du XIIIᵉ siècle (Bibliothèque nationale, manuscrit 1581).

où il décide la lionne, la louve et la « luparde » à le suivre dans son château de Passe-Orgueil.

Noble, indigné, fait voile vers Renart : grande et sanglante bataille navale. Renart, épouvanté, se recommande à Dieu, mais oublie sa promesse. Noble aborde ; ses fourriers, attaqués par les troupes de Renart, succombent vaillamment. Le goupil, en grand danger, réussit à s'enfuir, puis à obtenir sa grâce.

Noble fait la paix avec le perfide, tandis que son navire disparaît mystérieusement : tous s'embarquent dans la nef des vices. Arrivé à Malpertuis, Renart récompense tout son monde.

Les fils de Renart, devenus moines, réconcilient Jacobins et Frères Mineurs. Les Templiers et les Hospitaliers sollicitent Renart de venir chez eux : il en profite pour régir les deux ordres, et monte sur la roue de Fortune, désormais immobile ; il reçoit la couronne et règne, entouré d'Orgueil et de Fourberie.

COURONNEMENT DE RENART
(3 398 vers)

LES INTRIGUES DE RENART (vers 1-2795)

Après un éloge du comte Guillaume de Flandre, que l'auteur égale aux plus grands paladins, nous retrouvons Renart à Malpertuis, où se .... (... ....) .. .. ner. Renart hésite, puis décide de détrôner Noble. Il se met en route, persuade Timer l'âne de l'accompagner et le fait bientôt rouer de coups. Puis il punit un vilain de sa convoitise en lui dérobant des andouilles. Il rencontre Ysengrin, qui cherche vainement à le duper. Tous deux se rendent à Grenomesnil, résidence du lion. Ysengrin se prend au piège d'un louvetier, à qui Renart offre rançon ; les deux compères réussissent à le noyer dans une mare pour le punir, lui aussi, de sa convoitise.

Ysengrin révèle le dessein de Renart à Noble, qui s'en effraie et décide de terminer ses jours dans la pauvreté. Chargé de convoquer les barons, le loup raconte partout, sur la foi de Renart, que les astres ont annoncé la mort prochaine de Noble. Renart et Ysengrin se quittent en mauvais termes.

Puis Renart réconcilie les Jacobins et les Frères Mineurs, et reste un an chez eux pour les instruire. Enfin, il se rend auprès du roi et se présente comme le prieur des Jacobins de Saint-Ferri, venu pour lui rendre la santé. Le roi, qui se croit perdu, a désigné pour son successeur le léopard ; le faux prieur fait l'éloge du « génie » qu'il proclame supérieur à la force et propose habilement qu'un conseil se réunisse à l'Ascension pour désigner le successeur de Noble. Renart se retire sans avoir été démasqué.

Le conseil se réunit : Erme vient dire au roi que Renart s'est retiré du monde. Ysengrin prend violemment à partie le goupil absent et refuse d'aller le chercher ; malmené par le hérisson et le mouton, il se décide à aller au couvent, d'où il ramène Renart et le vrai prieur. Renart feint une grande tristesse de la mort prochaine du roi. Sur l'invitation de ce dernier, il consent à régler avec le prieur l'affaire de la succession. Le goupil a si bien joué son rôle que le hérisson le propose et le fait désigner comme roi.

Le prieur prononce un sermon en l'honneur de son frère Renart, qu'il loue d'avoir su vivre loin de la cour et persévérer dans ses desseins. Le goupil fait des façons, mais accepte la couronne qu'on lui place aussitôt sur la tête. Il chasse le hérisson et le mouton qui veulent se faire payer leurs services et vont vainement se plaindre à Noble. Cependant Renart refuse les cadeaux, que sa famille accepte.

Au cours d'un grand festin, Noble se trouve mal ; on le porte à l'église, et il meurt. C'est ainsi qu'envie, orgueil et « renardie » permettent aux méchants de triompher des bons.

LE RÈGNE DE RENART (vers 2796-3398)

Généreux pour les grands, dur aux petits, Renart règne à Grenomesnil. Il part pour Jérusalem et se couvre de gloire en Asie, puis va à Tolède, où il apprend la nécromancie, et à Paris, où il est universellement honoré et écouté. Le pape même le mande à Rome pour qu'il lui apprenne le secret de sa réussite. Après avoir visité l'Angleterre et l'Allemagne, Renart revient à Grenomesnil, ayant atteint son but. Les pauvres, rebutés par lui, se plaignent de l'argent, qui peut faire tant de mal, et de la mort, qui leur a enlevé un bon roi pour leur en donner un mauvais.

L'auteur termine en opposant à Renart le comte Guillaume, qui ne s'est jamais laissé influencer par « renardie ».

RENART LE CONTREFAIT
Première version.

PROLOGUE. — L'auteur nous apprend qu'il a mis vingt ans à composer ce poème, œuvre utile qui nous renseignera sur l'art de « renardie ».

PREMIÈRE BRANCHE. — Réunis à la cour du roi Noble, les barons — et notamment Ysengrin et Renart, qui porte une robe tissée et

fourrée d'hypocrisie — décident le lion à soutenir le riche et le fort
contre le pauvre et le faible.

Rentré chez luî, Ysengrin, semoncé par Hersent, décide de se
remettre en campagne. Barbue la chèvre lui tend un piège, et, malgré
les recommandations un peu mystérieuses de Renart, le stupide
Ysengrin est malmené par deux chiens.

2e BRANCHE. — Renart aperçoit un vilain, malheureux et triste,
et lui cite des exemples pour l'engager à ne plus s'attaquer aux
puissants. Puis le goupil se confesse et part en pèlerinage avec le
mouton et l'âne, qu'il abandonne bientôt pour rentrer chez lui.
Après avoir cultivé la terre sans grand succès, Renart revient à son
premier genre de vie et croque la famille de Tiécelin, puis se vante
au grillon d'avoir souvent fait triompher l'erreur et d'avoir établi
son autorité sur le monde entier. Suit l'épisode du puits, inspiré
de la branche IV du *Roman*.

3e BRANCHE. — Renart emmène à la chasse son fils aîné, qui se
fait tuer dans un poulailler. Le goupil se console stoïquement de
cet accident.

4e BRANCHE (très longue). — Mandé par Noble, Renart berne
les messagers du roi, puis accompagne Grimbert à la cour, où,
condamné à mort, mais gracié, il expose les origines de l'art de
« renardie », qui remonte à la chute des anges. Il raconte, non sans
fantaisie, l'histoire de Carthage, de David et des Juifs, d'Alexandre
(7 000 vers), de l'Angleterre, de la Grèce, de Troie et de Rome, des
empereurs, de Mahomet (dont il fait un cardinal hérésiarque), des
papes. Puis il montre comment les vices se répartissent entre les
provinces et les professions.

5e BRANCHE. — Aventures diverses, empruntées au *Roman*.

6e BRANCHE. — A Tibert, qui est venu se plaindre de ses mésaventures, Renart répond que l'on est souvent l'artisan de son propre
malheur; il lui raconte l'histoire des Français, de la chute de Troie
à Charlemagne. Puis il conseille à un prud'homme de vivre dans
la médiocrité.

7e BRANCHE. — Ysengrin, dupé par une jument, se querelle avec
Renart. Tibert, assailli dans un arbre par des gentilshommes, les
harangue dans un violent réquisitoire, qui termine l'ouvrage.

Deuxième version.

Première partie. — Un paysan, dépouillé par son seigneur, veut
se tuer. Renart l'engage à se soumettre et à espérer en Dieu; il
lui raconte des fables, lui cite des exemples empruntés à son temps
ou à l'Antiquité. Par peur de l'enfer, le vilain renonce à se donner
la mort.

2ᵉ *partie*. — Renart, en proie à la gêne et aux remords, voit apparaître la Peur, la Nature et la Raison. Sur le conseil de celle-ci, il va se confesser au grillon : il se vante de n'avoir dupé que les clercs et les nobles. Frobert l'envoie à Rome : en chemin, le goupil fait, en présence du mouton et de l'âne, une violente critique de tous les métiers, qui se ramènent tous à la friponnerie.

Suivent les épisodes de la couvée de Tiécelin et du puits. Ensuite, Renart fait à ses enfants affamés l'éloge de la douceur, de l'éducation, de l'austérité.

3ᵉ *partie*. — Renart perd à la chasse son jeune fils, étranglé par des chiens ; comme un niais, il se laisse duper par Brichemer et par Brun.

4ᵉ *partie*. — Chantecler et Renart, après quelques démêlés, discourent à perte de vue, en citant les Anciens. La Pauvreté apparaît au goupil et se vante d'être seule capable de faire connaître les vrais amis.

5ᵉ *partie*. — Renart se confesse à Hubert le milan, passe en revue les péchés, les arts et les sciences, décrit le Paradis, oppose l'âge d'or à l'âge de fer, montre comment les vilains acceptent lâchement d'être opprimés par les nobles. Renart reçoit l'absolution, mais happe son confesseur et va le croquer à Malpertuis, où nous le quittons définitivement.

6ᵉ *partie*. — Tibert le chat, après plusieurs sermons sur la patience et sur la vanité, raconte qu'il a rencontré une tigresse gravement malade : pour guérir, disait-elle, il lui faudrait manger une femme honnête, douce et obéissante. Tibert la conduit vainement au marché. Elle ne trouve pas non plus, parmi les gens de toutes professions, un homme probe et vertueux. D'ailleurs, la nouvelle se répand, et, pour éviter d'être dévoré par la tigresse, chacun s'efforce d'être pervers.

JUGEMENTS SUR « LE ROMAN DE RENART »

● I. Les origines et la formation du « Roman de Renart ».

C'est une légende vraiment francique, et par suite déjà de caractère germanique, et non pas roman, parce que son domaine est resté encore aux XIIᵉ et XIIIᵉ siècles celui des Français du Nord et qu'elle ne s'est pas introduite chez les Provençaux ; elle est encore plus allemande que la légende héroïque carolingienne, vu qu'elle n'a jamais pénétré comme celle-ci dans les autres pays romans, en Espagne et en Italie.

Toutes nos recherches établissent que la floraison la plus riche et la plus vivante des contes d'animaux s'est produite au XIIᵉ siècle sur le sol de la France du Nord et de la Flandre ; les poèmes français du Nord en sont le filon le plus riche et la source la plus pure. En nombre et en étendue, ils dépassent tous les autres, et probablement les plus anciens n'ont pas été conservés.

Jacob Grimm,
Reinhart Fuchs (1834).

Au point où en est notre connaissance des rapports de la littérature écrite et de la littérature orale entre le XIᵉ et le XIVᵉ siècle, on peut regarder comme solidement acquis que le *Roman de Renart*, ̶n̶'̶a̶̶p̶l̶u̶s̶ ̶r̶i̶e̶n̶ ̶d̶e̶ ̶f̶a̶m̶i̶l̶l̶e̶ ̶n̶i̶ ̶c̶e̶ ̶l̶e̶s̶ ̶é̶p̶o̶p̶é̶e̶s̶ ̶a̶n̶t̶i̶q̶u̶e̶s̶,̶ ̶n̶e̶ ̶p̶r̶é̶s̶e̶n̶t̶e̶ avec eux que des affinités rares et lointaines. Je suis même persuadé que tous les documents qu'il reste à découvrir, toutes les preuves que l'on pourra accumuler, seront favorables à cette thèse et établiront de plus en plus que l'épopée du goupil et du loup est sortie de la foule et non des livres.

L. Sudre,
les Sources du « Roman de Renart »,
Avant-propos (p. VII) [1893].

Cette incertitude dans la constitution du texte, cette variété infinie dans le nombre et cette liberté sans frein dans l'agencement des détails, cette habitude qui paraît consacrée d'appeler *Roman de Renart* aussi bien un ensemble de quelques branches qu'une collection complète nous donnent le sens précis de la nature de cet ouvrage. Ce n'est pas un tout harmonieusement formé, mais une juxtaposition souvent arbitraire de contes d'animaux, composés à différentes époques, et dont le groupement n'a été soumis à aucune loi fixe et n'a pas été l'effet d'une préoccupation unique.

Ibid. (p. 24).

Telle étant la genèse du *Roman de Renart*, on s'explique sans peine la diversité des sujets qu'il embrasse, la bigarrure et le bariolage qui en font un des ouvrages les plus curieux du moyen âge. Au cours de sa formation lente et progressive dans les différentes périodes de la construction pierre par pierre de cet immense monument, chaque artiste a apporté ses goûts particuliers et s'est laissé guider par ses préoccupations personnelles. Il a été comme une de ces vastes cathédrales du temps, péniblement édifiée, où chaque architecte aurait laissé la marque de son style favori et chaque génération l'empreinte de son caractère. La fable proprement dite, le conte, la parodie bouffonne, l'allégorie, la raillerie fine et délicate, la satire violente et grossière, les genres les plus divers s'y côtoient sans cesse et semblent s'y être donné rendez-vous. Il y en a pour contenter tous les goûts et l'on pourrait presque appliquer à cet ouvrage la fameuse phrase de La Bruyère sur le livre de Rabelais : « Où il est mauvais, il passe bien loin au delà du pire, c'est le charme de la canaille; où il est bon, il va jusqu'à l'exquis et à l'excellent, il peut être le mets des plus délicats. »

Ibid. (p. 32).

Le fantôme de l'épopée animale est dissipé pour toujours, et personne ne soutiendra plus sans doute l'origine germanique du *Renart*.

G. Paris,
la Littérature au moyen âge (p. 246) [1912].

Nous voulons dans ce livre rendre aux branches françaises l'intérêt qu'on leur a injustement enlevé. Productions très personnelles d'artistes très conscients, elles ne méritent nullement l'espèce de discrédit qui pèse sur elles. Nous les ferons passer au premier plan. Nous ne fermerons pas la porte aux contes d'animaux, mais nous ne nous lasserons pas de leur demander leurs titres. [...] Nous verrons avant tout dans le *Roman de Renart* une œuvre du XIIe siècle que nous chercherons à expliquer par le XIIe siècle. Nous en étudierons les sources et à côté de la fable ésopique et du conte populaire nous ferons place à une influence que nous croyons prépondérante : celle de l'*Ysengrimus*. Nous en étudierons la composition, et c'est le *Roman de Troie*, c'est *Tristan* que nous aurons à mentionner, et l'*Ysengrimus* encore, c'est-à-dire, si l'on y regarde de près, Virgile et Ovide. Le *Roman de Renart*, écrivait M. Sudre, sort de la foule et non des livres. Il nous semble plus vrai de renverser la formule et de dire : le *Roman de Renart* sort des livres, mais il a été écrit pour la foule et c'est la foule qui en a fait le succès.

L. Foulet,
le Roman de Renart (p. 17-18) [1914].

● II. L'ESPRIT ET LE SENS DU « ROMAN DE RENART ».

Ce sont là, il faut le dire, les meilleures parties du *Roman ;* les contes du *Pèlerinage* (IX), de *Renart et les Charretiers* et de la *Pêche à la queue* (IV) ; ceux de *Renart médecin* (X), de *Chantecler* (III) et bien d'autres encore sont des chefs-d'œuvre de cette narration vive et primesautière dont le moyen âge avait le secret, charmante par la vérité de situation, la simplicité et la fraîcheur des détails. Ce sont là aussi les morceaux les plus anciens de la collection, ceux qui répondent le mieux à l'idée primitive de cette guerre du goupil et du loup, à la première manière des trouveurs dont l'unique but, en développant les différents épisodes de cette lutte, était de faire rire, d'amuser, de nous donner, pour employer leurs expressions, « une risée, un gabet ».

Avec le temps, par besoin de renouveler une matière près de s'épuiser et par imitation de plus en plus étroite de l'épopée chevaleresque, le ton perd de sa naïveté ; les animaux deviennent de plus en plus de véritables hommes. Ils se rassemblent à la cour du roi, tiennent conseil, vont assiéger le château de Renart. Le chameau est légat du pape et jurisconsulte distingué. Renart se présente comme jongleur et amuse les badauds avec son baragouin comique. Sa femme et celle du loup se disputent comme deux poissardes, se prennent aux cheveux et se roulent par terre ; le loup, revêtu gravement des habits sacerdotaux, célèbre la messe à l'autel à la place du prêtre. Tous les animaux en cercle autour de la fosse préparée pour recevoir la bière de Renart que l'on croit mort chantent les offices des défunts ; l'âne et le cerf prononcent un touchant panégyrique de sa vie. Nous sommes ici en pleine parodie ; et pourtant l'indépendance de ces scènes n'a rien qui nous choque, la franche gaîté qu'elles respirent, la verve enjouée qui déborde dans chacune d'elles nous fait oublier ce qu'elles peuvent avoir souvent d'exagéré et d'outré. Mais, par contre, que penser en voyant le chat à cheval emportant les livres qu'il a dérobés à un prêtre, le lièvre amenant sur ses épaules un homme qu'il veut faire juger par le roi, Renart sur un destrier, le faucon au poing, chassant les canards sauvages ou encore surveillant les ouvriers qui fortifient son château et intriguant pour que ses fils soient décorés de l'ordre de la chevalerie et que lui-même soit promu à la dignité de lieutenant du royaume ? Autant de plates inventions dont la faiblesse n'est relevée et compensée par aucun mérite d'exécution.

L. Sudre,
les Sources du « Roman de Renart » (p. 33) [1893].

Jetons un coup d'œil d'ensemble sur toutes ces péripéties de l'épopée animale au XIIe siècle.

Un des auteurs du *Renart*, résumant je ne sais laquelle de nos branches, la définit en trois mots :

Ce fu et bole et gile et jeus.

L'épopée animale de la première époque n'est pas autre chose qu'un spectacle de ruse et de supercherie, en vue du divertissement; le plaisir de la tromperie : le plaisir que le trompeur prend à la tromperie; et le plaisir réciproque que prend le trompé à tromper le trompeur.

Quand il s'agit de rendre cette idée de ruse ou de tromperie ou du plaisir qu'on y prend, nos écrivains anciens disposent d'une abondante synonymie; ils sont intarissables.

La tromperie, ce sera donc la « guile », ou encore l' « agait », ou la « bole », ou la « lobe », ou la « barde », ou la « lècherie », ou la « treslue », ou la « voisdie ». Le malin, le rusé compère est un « recuit », un « félon », un « engignère moult soutis », un « guilierres » toujours prêt à vous « abriconer ». Et les contes à plaisir, d'intentions malicieuses et gouailleuses, seront décrits aussi, très diversement, comme des « barats », ou des « ramposnes », ou des « falordes », ou des « gabets ».

Guerlin de Guer,
Revue des Cours et Conférences (p. 400) [1929].

● III. L'ART, LES AUTEURS.

Il est bien vrai que les trouvères de Renard sont des hommes de lettres du XIIᵉ siècle. Au lieu d'une nation entière de collaborateurs anonymes et irresponsables, nous trouvons donc, à l'origine du *Roman de Renart*, vingt-huit hommes de lettres. Ce n'est pas tout à fait la même chose.

D'où sortaient ces littérateurs du temps passé? Où avaient-ils appris les éléments de leur métier? Nous ne savons si une même réponse conviendrait partout; mais dans le cas des trouvères de Renard, il est certain que nous avons affaire la plupart du temps à d'incontestables clercs. Ce sont gens qui ont fait des études, qui sont entrés dans les ordres ou qui ont eu un instant l'intention d'y entrer. Leur culture, ils l'ont puisée dans les écoles qu'entretenait l'Église, seule dispensatrice pendant longtemps de la science médiévale. Ils y accourent des quatre coins du pays : l'Église est le seul groupement social d'alors qui soit largement ouvert à tous. Le fils du vilain, en tant que tel, ne saurait trouver une place parmi les chevaliers, mais il peut devenir évêque ou pape, et prendre le pas sur ceux pour qui son père ne comptait pas. Dans les écoles, il coudoie le bourgeois et le noble. C'est donc une erreur de partager l'ancienne France en deux mondes étrangers et presque hostiles l'un à l'autre, les laïques et les clercs. La véritable division est toute séculière : le roi et les barons, les bourgeois, les vilains. Et c'est précisément la grande corporation des clercs qui, se recrutant dans tous les milieux sociaux, a formé le trait d'union entre ces différentes classes. De là la variété de leurs œuvres littéraires : elle reflète la diversité de leurs origines. Le prêtre de la Croix-en-

Brie s'intéresse aux braves gens de sa paroisse. Richard de Lison a fréquenté, chez son connétable, des abbés, des doyens de chapitre et des évêques ; il a goûté à la scolastique, et il lui en est resté un souvenir amusé et malicieux. L'auteur de VII *(Renard mange son confesseur)* a vécu dans le monde interlope des goliards et leurs manières ont déteint sur lui. Pierre de Saint-Cloud a sûrement passé une partie de sa vie autour des tribunaux et des gens de loi, mais il a peut-être grandi dans la ferme normande de Constant des Noes. Plus artiste que tous les autres, l'auteur du *Plaid* (branche I) s'est dérobé derrière ses personnages, qu'il fait évoluer avec une maîtrise consommée ; mais on sent partout la surprenante justesse de ses caricatures. Il a dû jeter un vif regard sur la société contemporaine.

On voit tout ce que ces clercs du XIIe siècle ont mis d'eux-mêmes et de leur temps dans les poèmes du loup et du goupil : la matière de leur œuvre est toute médiévale. Mais la forme, le cadre leur viennent de l'antiquité. Dans les écoles où ils ont appris le latin, ils ont feuilleté *Romulus* et peut-être aussi la *Disciplina clericalis* ; les mieux doués ont goûté à Virgile et à Horace. Ces étudiants d'élite ont eu leurs distractions : dans les milieux d'écoliers qui se formaient autour des chaires, ils ont sans doute lu, parmi les rires des camarades, les poèmes latins où, brodant sur Phèdre et sur Ésope, de spirituels devanciers avaient égayé leur verve.

... C'est dans le poème de Pierre de Saint-Cloud qu'apparaît le plus nettement, il nous semble, cette collaboration féconde de l'imagination antique et de l'esprit médiéval. « Renard et Chantecler », « Renard et le Corbeau » sont de petits chefs-d'œuvre où l'apologue du *Romulus* a donné le dessin, le charme du récit médiéval la riche couleur. Il y a là un procédé qui, en observant toutes les distances qu'on voudra, annonce déjà celui de nos grands classiques du XVIe et du XVIIe siècle.

L. Foulet,
le Roman de Renart (p. 565-567) [1914].

Lisons donc les poèmes de *Renard*. Nous y trouverons des inventions antiques, des mœurs médiévales, un souffle de large humanité, un art tout français. Et notre étonnement sera que, pendant si longtemps, on ait pu faire passer pour un ramassis incohérent de textes remaniés et rapetassés une des productions les plus achevées et les plus originales de l'ancienne France.

Ibid. (p. 569-570).

Parlons de la région où doivent se situer les épisodes du *Roman*. Les *Fables* de La Fontaine se passent en Champagne ; les paysages favoris du fabuliste, ce sont les paysages champenois.

Ici nous sommes sensiblement plus au nord, ou plus à l'ouest, dans la plaine picarde, ou la plaine normande, vallonnée de collines, coupée parfois de marais, souvent ombragée de bois profonds, qui servent de retraite à Renart, comme à Ysengrin. Dans la prairie, un ruisseau, des pâtures, de l'herbe fraîche et dans les champs, des meules de foin ; plus loin, des ormeaux et des hêtres, et l'ombre de la forêt.

Tout cela fleure bon la campagne. De toutes ces notations brèves, de toutes ces esquisses rapides, se dégage un parfum rustique assez captivant. L'un de nos auteurs, à propos de Renart, fait cette remarque :

> Bien savoit le bois tout entier,
> Que mainte foiz l'avoit alé.

Nous pourrions dire aussi de l'artiste qu'il savait le bois tout entier, qu'il l'avait parcouru en tous sens ; qu'il s'était engagé sous les hautes futaies, jusque dans la prairie, où sont de si beaux hêtres, et sur les bords du ruisseau « où tout est vers et floriz ».

Guerlin de Guer,
Revue des Cours et Conférences (p. 404-405) [1929].

QUESTIONS SUR « LE ROMAN DE RENART »

BRANCHE II

● *Renart et Chantecler* (p. 13).

— Relevez tous les détails qui donnent une image précise de la vie à la campagne.

— Quel est le caractère du coq? Ce caractère est-il en harmonie avec les mœurs et les attitudes de cet animal? Essayez d'expliquer à ce propos comment on peut prêter à un animal des traits de psychologie humaine.

— Étudiez la composition de l'ensemble du récit. Sur quel effet comique est-elle fondée? Quelle est la moralité de l'histoire?

— Quel est le caractère de Renart d'après cet épisode? Quel est son langage?

— Si l'on se rappelle que le renard est surtout redouté à la campagne parce qu'il ravage les poulaillers, peut-on expliquer pourquoi cet épisode est sans doute le plus ancien du *Roman de Renart*?

● *Renart et Tiécelin* (p. 20).

— Quel caractère est ici prêté au corbeau?

— Comparez la ruse que Renart emploie à son égard avec celle dont il a usé avec Chantecler. Le corbeau est-il toutefois aussi facile à duper que le coq?

— Y a-t-il une moralité à cette histoire? Faut-il regretter que le corbeau ait perdu son fromage? qu'il ait échappé au renard?

Comparez cet épisode à la fable de La Fontaine, *le Corbeau et le Renard*, sans oublier que le fabuliste ne connaissait pas *le Roman de Renart*.

BRANCHE Vª

● *Renart et Brun l'ours* (p. 25).

— Quels sont les avantages du procédé qui consiste à faire raconter cette aventure par l'ours lui-même?

— Étudiez le récit de la bataille entre l'ours et les paysans. Brun n'est-il pas une caricature de héros épique? A quel public pouvait plaire cette satire des fanfaronnades guerrières?

— L'ours a-t-il vraiment le droit de se plaindre ici de Renart? Et le lecteur donne-t-il tort à ce dernier?

BRANCHE XV

● *Tibert et l'andouille* (p. 29).

— Quelle attitude prend Renart devant un animal dont il redoute les coups de griffes? De son côté, comment le chat se comporte-t-il avec Renart? Son langage et ses attitudes correspondent-ils au caractère qu'on lui prête habituellement?

— Étudiez le dialogue de Renart et de Tibert, à partir du moment où celui-ci est juché sur la croix. Comment l'hypocrisie religieuse sert-elle les desseins de Tibert?

BRANCHE III

● *Renart et les anguilles* (p. 33).

— Dans le premier épisode (le vol des poissons), relevez tous les détails qui donnent une image précise et pittoresque de la vie à la campagne.

— Quels sont les principaux traits de caractère d'Ysengrin, d'après le premier portrait que nous en avons ici? Renart prend-il à son égard la même attitude qu'avec les autres animaux, en présence desquels nous l'avons déjà vu?

— En montrant Ysengrin prêt à se laisser tonsurer pour manger à sa faim, l'auteur n'adapte-t-il pas à son récit une plaisanterie traditionnelle sur les moines?

— Dans le dernier épisode (Ysengrin prisonnier de la glace), quels effets comiques l'auteur tire-t-il de la lutte de messire Constant avec le loup?

BRANCHE IV

● *Renart et Ysengrin dans le puits* (p. 40).

— Que pensez-vous de l'imagination de Renart et de son art d'improviser des ruses adaptées à chaque situation nouvelle?

— Le lecteur devine-t-il aussi facilement que dans les épisodes précédents comment Renart va faire tomber Ysengrin dans le piège?

— Pourquoi Renart fait-il tant attendre à Ysengrin le moment d' « entrer en paradis »? Quel trait de son caractère apparaît ici? Appréciez l'humour de Renart et sa plaisanterie finale.

— Comparez cet épisode avec la fable de La Fontaine : *le Loup et le Renard*. (La Fontaine ne connaissait pas *le Roman de Renart*.)

BRANCHE I

● *La plainte d'Ysengrin* (p. 45).

— Comment s'élargit ici le monde animal du *Roman de Renart*?

— Appréciez l'attitude du lion et des différents animaux les uns à l'égard des autres. En quoi la cour de Noble évoque-t-elle le monde féodal?

● *Funérailles d'une victime de Renart* (p. 46).

V. 267-344. — Étudiez, dans le récit du cortège funèbre et dans le *regret* prononcé par Pinte, la parodie des genres nobles (chanson de geste et roman courtois).

— La parodie supprime-t-elle toute source d'émotion dans ce passage? Quels sentiments éprouve-t-on pour les victimes de Renart?

V. 384-432. — Comment s'explique l'attitude d'Ysengrin, (v. 384-394), puis celle du roi (395-402)?

— Quel est le terme essentiel de l'épitaphe de Copée?

● *Brun l'ours va chercher Renart* (p. 50).

— Quelle satire contient le double miracle qui se produit sur la tombe de Copée?

— Les occupations de Renart prouvent-elles qu'il se soit repenti de ses fautes passées? Quel trait s'ajoute ici au caractère de Renart?

— Pourquoi Renart critique-t-il les mœurs de la cour? Cette diatribe peut-elle avoir quelque effet sur Brun? Et que pourrait en penser le lecteur?

— Dès que Renart a la certitude que Brun va le suivre, pourquoi semble-t-il se méfier de son compagnon? Montrez, en comparant ce passage à des extraits des branches précédentes, qu'on retrouve là un des traits permanents de la tactique de Renart à l'égard de ses victimes.

— Comparez l'aventure de Brun à celle qui lui advient à la branche V^a (p. 25). Montrez comment cet épisode antérieur s'est enrichi. Quels sont pourtant les éléments communs aux deux récits?

● *Renart présente sa défense au roi* (p. 54).

— Analysez les arguments présentés par Renart pour sa défense. En quoi ce plaidoyer est-il habile?

● *Renart se fait pèlerin* (p. 55).

— L'attitude des courtisans à l'égard de Renart qui marche au supplice leur fait-elle honneur? Cela ne justifie-t-il pas à l'avance les bons tours que Renart leur jouera par la suite?

— Quelle satire des mœurs féodales, et, notamment, des pèlerinages contient cet épisode?

— Pourquoi Renart imagine-t-il de prendre à la reine son anneau avant de disparaître?

BRANCHE I^b

● *Renart chez le teinturier* (p. 59).

— Comment est composé cet épisode? N'y retrouvez-vous pas une suite de situations déjà utilisée dans d'autres épisodes?

— Cette nouvelle aventure de Renart a-t-elle en elle-même beaucoup d'intérêt? A quel résultat aboutit-elle?

● *Renart parle à Ysengrin* (p. 60).

— Quelles sont les deux sortes de comique utilisées dans cette scène?

— En quoi cet épisode nous renseigne-t-il sur la vie des jongleurs?

● *Renart joue de la vielle aux noces de sa femme et de Poncet* (p. 62).

— Quelle situation de roman d'aventures est ici parodiée?

N'aurait-on pas un peu pitié de Renart, si on ne le savait si fertile en ruses ?

BRANCHE VIII

● *Renart se confesse à un ermite* (p. 70).

— Quel est le premier sentiment du lecteur en voyant le repentir de Renart ? Celui-ci est-il totalement dépourvu de sincérité ? Les raisons qui le poussent au repentir sont-elles purement morales ?

— Par comparaison aux branches antérieures, l'analyse psychologique n'est-elle pas plus poussée ?

● *Pèlerinage de Renart* (p. 72).

— Comment Renart réussit-il à entraîner Belin avec lui ?

— Faut-il approuver la façon dont Renart tire Belin d'affaire ? Que pensez-vous toutefois du motif qui le détermine à partir en pèlerinage ?

● *Renart invite Bernard l'archiprêtre à le suivre* (p. 73).

— Pourquoi la tradition fait-elle de Bernard un archiprêtre ? Quelle satire contient cette personnification ?

— Bernard se trompe-t-il beaucoup en parlant du *dépit* qui a poussé les deux compagnons à partir en pèlerinage ?

— Comparez les arguments employés par Renart pour déterminer Bernard à ceux dont il a usé envers Belin. Faut-il féliciter Renart de délivrer les opprimés ? Ses intentions ne comportent-elles pas une certaine équivoque ?

● *Les pèlerins et les loups* (p. 74).

— A voir la façon dont Renart s'introduit chez le loup, peut-on dire qu'il se soit vraiment converti ? Quel trait traditionnel de son caractère réapparaît ici ?

— Quel rôle joue maintenant Renart à l'égard de ses deux compagnons ? Est-il satisfait d'être maintenant le maître ?

— La situation d'Ysengrin coincé dans la porte ne rappelle-t-elle pas un épisode de la branche III (p. 37) ? Ces réminiscences vous semblent-elles nuire à l'originalité de l'œuvre ?

— La victoire remportée sur les loups est-elle due vraiment ici à la ruse de Renart ?

— Dans quelle mesure cette branche est-elle une critique de certains pèlerinages ? Étudiez surtout à ce propos la « morale » que contient le dernier paragraphe.

BRANCHE XVI

● *Victoire de Renart sur le vilain* (p. 84).

V. 15-85. — Peut-on parler d'un certain sentiment de la nature à propos de ce passage ? Ne s'y mêle-t-il pas quelque intention parodique ?

V. 179-258. — Quels sont les éléments comiques de cette scène ? Renart s'est-il déjà trouvé dans une situation aussi dangereuse ?

V. 306-378. — Qu'y a-t-il de nouveau dans la façon dont Renart prend l'avantage sur le paysan ? Est-ce sa ruse qui le sauve ici ?

— Quelle critique de la société féodale contient ce passage ? Est-ce uniquement l'insolence du seigneur qui est condamnée ici ? Que pensez-vous de l'attitude du vilain ? Ne capitule-t-il pas trop vite devant Renart ?

V. 478-506. — Pourquoi Renart exige-t-il d'emporter le coq, en dédaignant les gélines ?

● *Renart chasse avec Noble et Ysengrin* (p. 87).

— Quel caractère est prêté ici à chacun des trois compères ?

— Comparez le personnage de Noble à ce qu'il était dans la branche I. Quelle transformation a-t-il subie ? Que pensez-vous de son attitude à l'égard de Renart ? Est-il dupe de la ruse de celui-ci ?

Branche XVII

● *Les vigiles* (p. 90).

V. 534-598. — Comparez cette parodie des cérémonies religieuses à celle qui se trouve à la branche I (*Funérailles de Copée*, p. 46). Dégagez les ressemblances des deux passages.

V. 645-659. — Quelle est l'intention satirique contenue dans la dernière phrase ?

● *La cérémonie au moutier* (p. 91).

— Par quel détail ce récit se rattache-t-il à une des branches précédentes ?

— Étudiez le sermon de Bernard l'archiprêtre. En quoi constitue-t-il une parodie des oraisons funèbres ? Quelle satire contre le clergé comporte-t-il ?

● *La mise au tombeau* (p. 93).

— Analysez le tableau burlesque que forment les animaux aux funérailles de Renart. Le roi donne-t-il à chacun le rôle qui lui convient ?

— Est-il étonnant que le premier geste de Renart ressuscité soit de se jeter sur Chantecler ? En quoi cet épisode maintient-il un des traits permanents de son caractère ? De quel épisode, appartenant à une branche beaucoup plus ancienne, se souvient-on ici ?

● *Combat de Renart et de Chantecler* (p. 94).

— Étudiez dans cette scène la parodie des procédés épiques.

— Pourquoi Renart s'acharne-t-il à réclamer Chantecler comme adversaire ?

— En quoi cette scène est-elle une critique du « jugement de Dieu » ?

— Comparez cet épisode à l'épisode de la branche II (p. 13) qui oppose Renart à Chantecler. Quelles transformations ont subies les deux animaux, par comparaison avec les branches les plus anciennes? Tirez-en une conclusion sur l'évolution du *Roman de Renart* entre le XIIe et le XIIIe siècle.

● *Renart mutile le corbeau* (p. 97).

— La ruse employée par Renart est-elle originale? Ne prend-elle pas, cependant, ici, une signification nouvelle?

SUJETS DE DEVOIRS

● Imaginez une nouvelle aventure de Renart, à la manière d'un des épisodes que vous avez lus.

● La satire des mœurs féodales.

● Le sens et la portée des critiques adressées dans *le Roman de Renart* aux gens d'Église et aux coutumes religieuses.

● Les vices et les vertus dans *le Roman de Renart*.

● Le réalisme et les procédés comiques dans *le Roman de Renart*.

● *Le Roman de Renart* est-il une « épopée animale »? N'y trouve-t-on que l'élément épique?

● *Le Roman de Renart*, «vaste mascarade de la société humaine». Expliquez et appréciez cette remarque de Léopold Sudre.

● Sainte-Beuve a dit que La Fontaine était déjà « tout entier » dans *le Roman de Renart* : est-ce vrai? Ressemblances et différences au point de vue du récit, des caractères, de l'art, de la morale.

TABLE DES MATIÈRES

Imp. LAROUSSE, 1 à 9, rue d'Arcueil, Montrouge (Hauts-de-Seine).
Novembre 1937. — Dépôt légal 1937-4e. — No 4267. — No de série Editeur 4458.
IMPRIMÉ EN FRANCE (*Printed in France*). — 37.760 V-6-69.